U0129346

滿文原檔
《滿文原檔》選讀譯注

太祖朝（十一）

莊 吉 發 譯注

滿 語 叢 刊
文史哲出版社印行

國家圖書館出版品預行編目資料

滿文原檔《滿文原檔》選讀譯注：太祖朝.
十一 / 莊吉發譯注. -- 初版. -- 臺北市：
文史哲出版社，民 111.12
面：公分 --（滿語叢刊；50）
ISBN 978-986-314-625-4（平裝）

1.CST:滿語　2.CST:讀本

802.918　　　　　　　　　111021528

満　語　叢　刊　50

滿文原檔《滿文原檔》選讀譯注
太祖朝（十一）

譯 注 者：莊　　　　吉　　　　發
出 版 者：文　史　哲　出　版　社
http://www.lapen.com.tw
e-mail:lapen@ms74.hinet.net
登記證字號：行政院新聞局版臺業字五三三七號
發 行 人：彭　　　　正　　　　雄
發 行 所：文　史　哲　出　版　社
印 刷 者：文　史　哲　出　版　社
臺北市羅斯福路一段七十二巷四號
郵政劃撥帳號：一六一八〇一七五
電話886-2-23511028・傳真886-2-23965656

實價新臺幣七四〇元

二〇二二年（民一一一）十二月初版

滿文原檔

《滿文原檔》選讀譯注

太祖朝(十一)

目　　次

《滿文原檔》選讀譯注
導　讀

　　內閣大庫檔案是近世以來所發現的重要史料之一,其中又以清太祖、清太宗兩朝的《滿文原檔》以及重抄本《滿文老檔》最為珍貴。明神宗萬曆二十七年(1599)二月,清太祖努爾哈齊為了文移往來及記注政事的需要,即命巴克什額爾德尼等人以老蒙文字母為基礎,拼寫女真語音,創造了拼音系統的無圈點老滿文。清太宗天聰六年(1632)三月,巴克什達海奉命將無圈點老滿文在字旁加置圈點,形成了加圈點新滿文。清朝入關後,這些檔案由盛京移存北京內閣大庫。乾隆六年(1741),清高宗鑒於內閣大庫所貯無圈點檔冊,所載字畫,與乾隆年間通行的新滿文不相同,諭令大學士鄂爾泰等人按照通行的新滿文,編纂《無圈點字書》,書首附有鄂爾泰等人奏摺[1]。因無圈點檔年久歝舊,所以鄂爾泰等人奏請逐頁托裱裝訂。鄂爾泰等人遵旨編纂的無圈點十二字頭,就是所謂的《無圈點字書》,

---

1　張玉全撰,〈述滿文老檔〉,《文獻論叢》(臺北,臺聯國風出版社,民國五十六年十月),論述二,頁207。

但以字頭釐正字蹟，未免逐卷翻閱，且無圈點老檔僅止一分，日久或致擦損，乾隆四十年（1775）二月，軍機大臣奏准依照通行新滿文另行音出一分，同原本貯藏[2]。乾隆四十三年（1778）十月，完成繕寫的工作，貯藏於北京大內，即所謂內閣大庫藏本《滿文老檔》。乾隆四十五年（1780），又按無圈點老滿文及加圈點新滿文各抄一分，齎送盛京崇謨閣貯藏[3]。自從乾隆年間整理無圈點老檔，托裱裝訂，重抄貯藏後，《滿文原檔》便始終貯藏於內閣大庫。

　　近世以來首先發現的是盛京崇謨閣藏本，清德宗光緒三十一年（1905），日本學者內藤虎次郎訪問瀋陽時，見到崇謨閣貯藏的無圈點老檔和加圈點老檔重抄本。宣統三年（1911），內藤虎次郎用曬藍的方法，將崇謨閣老檔複印一套，稱這批檔冊為《滿文老檔》。民國七年（1918），金梁節譯崇謨閣老檔部分史事，刊印《滿洲老檔祕錄》，簡稱《滿洲祕檔》。民國二十年（1931）三月以後，北平故宮博物院文獻館整理內閣大庫，先後發現老檔三十七冊，原按千字文編號。民國二十四年（1935），又發現三冊，均未裝裱，當為乾隆年間托裱時所未見者。文獻館前後所發現的四十冊老檔，於文物南遷時，俱疏遷於後方，

---

2 《清高宗純皇帝實錄》，卷 976，頁 28。乾隆四十年二月庚寅，據軍機大臣奏。

3 《軍機處檔·月摺包》（臺北，國立故宮博物院），第 2705 箱，118 包，26512 號，乾隆四十五年二月初十日，福康安奏摺錄副。

臺北國立故宮博物院現藏者，即此四十冊老檔。昭和三十三年（1958）、三十八年（1963），日本東洋文庫譯注出版清太祖、太宗兩朝老檔，題為《滿文老檔》，共七冊。民國五十八年（1969），國立故宮博物院影印出版老檔，精裝十冊，題為《舊滿洲檔》。民國五十九年（1970）三月，廣祿、李學智譯注出版老檔，題為《清太祖老滿文原檔》。昭和四十七年（1972），東洋文庫清史研究室譯注出版天聰九年分原檔，題為《舊滿洲檔》，共二冊。一九七四年至一九七七年間，遼寧大學歷史系李林教授利用一九五九年中央民族大學王鍾翰教授羅馬字母轉寫的崇謨閣藏本《加圈點老檔》，參考金梁漢譯本、日譯本《滿文老檔》，繙譯太祖朝部分，冠以《重譯滿文老檔》，分訂三冊，由遼寧大學歷史系相繼刊印。一九七九年十二月，遼寧大學歷史系李林教授據日譯本《舊滿洲檔》天聰九年分二冊，譯出漢文，題為《滿文舊檔》。關嘉祿、佟永功、關照宏三位先生根據東洋文庫刊印天聰九年分《舊滿洲檔》的羅馬字母轉寫譯漢，於一九八七年由天津古籍出版社出版，題為《天聰九年檔》。一九八八年十月，中央民族大學季永海教授譯注出版崇德三年（1638）分老檔，題為《崇德三年檔》。一九九〇年三月，北京中華書局出版老檔譯漢本，題為《滿文老檔》，共二冊。民國九十五年（2006）一月，國立故宮博物院為彌補《舊滿洲檔》製作出版過程中出現的失真問題，重新出版原檔，分訂十巨冊，印刷精緻，裝幀典雅，為凸顯檔冊的原始性，反映初創滿文字體的特色，並避免與《滿文老檔》重抄本的混淆，正名為《滿文原檔》。

　　二〇〇九年十二月，北京中國第一歷史檔案館整理編譯《內閣藏本滿文老檔》，由瀋陽遼寧民族出版社出版。吳元豐先生於「前言」中指出，此次編譯出版的版本，是選用北京中國第一歷史檔案館保存的乾隆年間重抄並藏於內閣的《加圈點檔》，共計二十六函一八〇冊。採用滿文原文、羅馬字母轉寫及漢文譯文合集的編輯體例，在保持原分編函冊的特點和聯繫的前提下，按一定厚度重新分冊，以滿文原文、羅馬字母轉寫、漢文譯文為序排列，合編成二十冊，其中第一冊至第十六冊為滿文原文、第十七冊至十八冊為羅馬字母轉寫，第十九冊至二十冊為漢文譯文。為了存真起見，滿文原文部分逐頁掃描，仿真製版，按原本顏色，以紅黃黑三色套印，也最大限度保持原版特徵。據統計，內閣所藏《加圈點老檔》簽注共有 410 條，其中太祖朝 236 條，太宗朝 174 條，俱逐條繙譯出版。為體現選用版本的庋藏處所，即內閣大庫；為考慮選用漢文譯文先前出版所取之名，即《滿文老檔》；為考慮到清代公文檔案中比較專門使用之名，即老檔；為體現書寫之文字，即滿文，最終取漢文名為《內閣藏本滿文老檔》，滿文名為 "dorgi yamun asaraha manju hergen i fe dangse"。《內閣藏本滿文老檔》雖非最原始的檔案，但與清代官修史籍相比，也屬第一手資料，具有十分珍貴的歷史研究價值。同時，《內閣藏本滿文老檔》作為乾隆年間《滿文老檔》諸多抄本內首部內府精寫本，而且有其他抄本沒有的簽注。《內閣藏本滿文老檔》首次以滿文、羅馬字母轉寫和漢文譯文合集方式出版，確實對清朝開國史、民族史、東北地方史、滿學、八旗制度、滿文古籍版本等領域的研究，提供比較原始的、系統的、基礎的第一手資料，其次也有助於準確解讀用老滿文書寫《滿文老檔》原本，以及深入系統地研究滿文的創制與改革、滿語的發展變化[4]。

　　臺北國立故宮博物院重新出版的《滿文原檔》是《內閣藏本滿文老檔》的原本，海峽兩岸將原本及其抄本整理出版，確實是史學界的盛事，《滿文原檔》與《內閣藏本滿文老檔》是同源史料，有其共同性，亦有其差異性，都是探討清朝前史的珍貴史料。為詮釋《滿文原檔》文字，可將《滿文原檔》與《內閣藏本滿文老檔》全文併列，無圈點滿文與加圈點滿文合璧整理出版，對辨識費解舊體滿文，頗有裨益，也是推動滿學研究不可忽視的基礎工作。

　　　以上節錄：滿文原檔：《滿文原檔》選讀譯注
　　導讀 — 太祖朝（一）全文 3-38 頁。

4　《內閣藏本滿文老檔》（瀋陽，遼寧民族出版社，2009 年 12 月），
　　第一冊，前言，頁 10。

一、查拏奸細

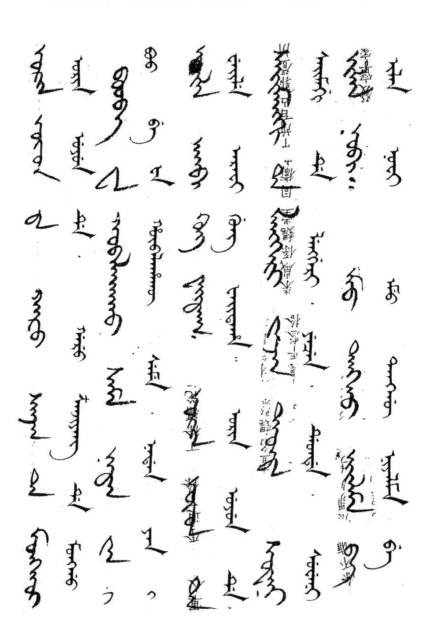

orin uyun de, garu ts'anjiyang de monggo boo be fa hūbalahakū seme, nadan yan i weile arafi gung faitaha. orin uyun de, saimagi de lenggeri, yecen, detde, suweni ilan nofi emu tanggū niyalma be

---

二十九日，噶魯參將因未裱糊蒙古包之窗，罰銀七兩，銷其功。二十九日，令冷格里、葉臣、德特，爾等三人率領一百人駐賽馬吉；

二十九日，噶魯參將因未裱糊蒙古包之窗，罚銀七兩，銷其功。二十九日，令冷格里、叶臣、德特，尔等三人率领一百人驻赛马吉；

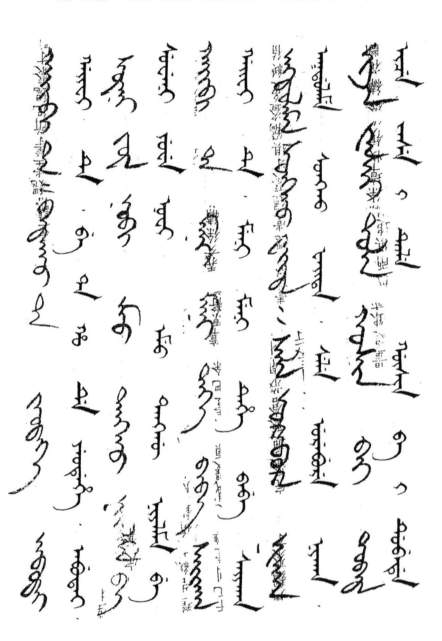

gaifi te, be ta ho de yeodehe, abutai, suweni juwe nofi emu tanggū niyalma be gaifi te. meni meni tehe babe saikan akdulame songko faita. sele urebure nikan, ice jase i tule gūsin ba i dubede

尤德赫、阿布泰，爾等二人率領一百人駐白塔河。著各駐所善加固守，尋覓踪跡。據聞煉鐵之漢人住於新界外三十里。

尤德赫、阿布泰，尔等二人率领一百人驻白塔河。着各驻所善加固守，寻觅踪迹。据闻炼铁之汉人住于新界外三十里。

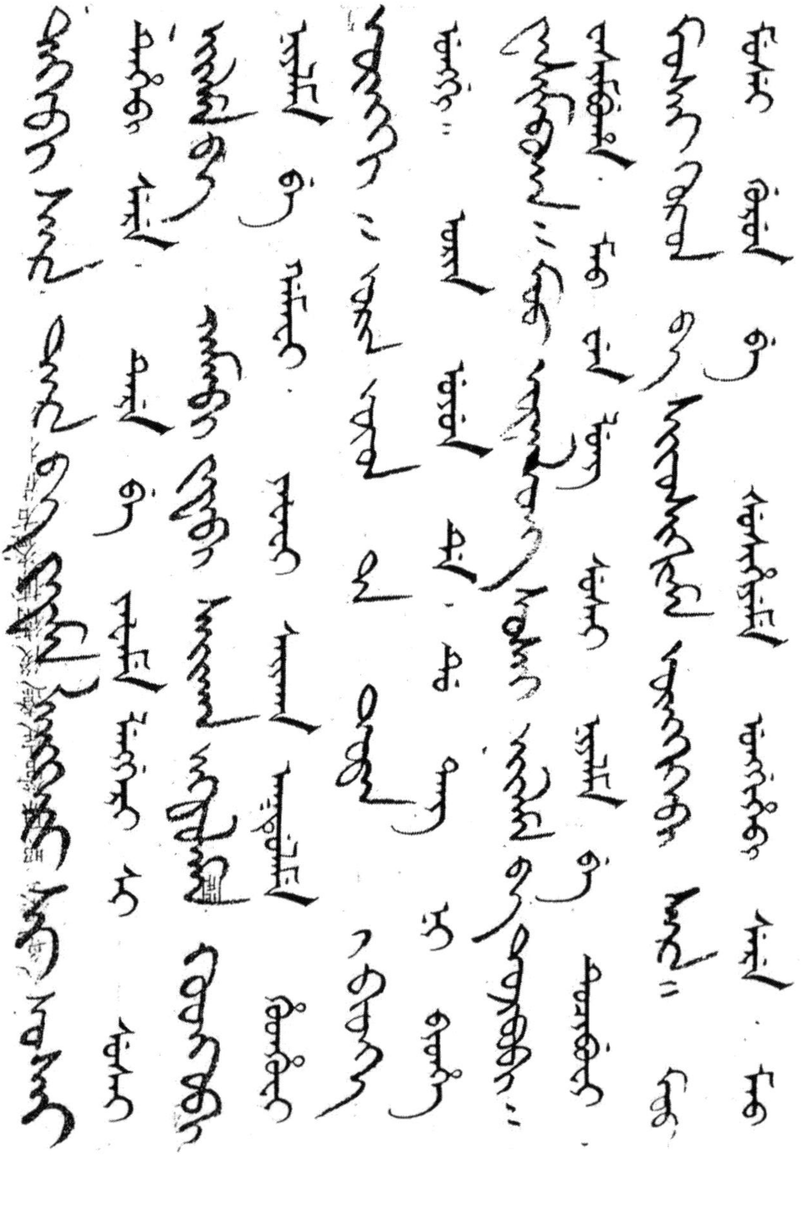

tehebi sere, tere be jafame lenggeri si, susai niyalma be gamafi, jafafi saikan akdulame huthufi unggi. orin uyun de, du tang ni bithe wasimbuha, mao wen lung susai niyalma be tucibufi, musei gurun be šusihiyeme unggihebi sere, mao

冷格里，爾率五十人前往擒拏，綁縛牢固解來。二十九日，都堂頒諭：「據悉毛文龍派出五十人前來挑唆我國人，

冷格里，尔率五十人前往擒拏，绑缚牢固解来。二十九日，都堂颁谕：「据悉毛文龙派出五十人前来挑唆我国人，

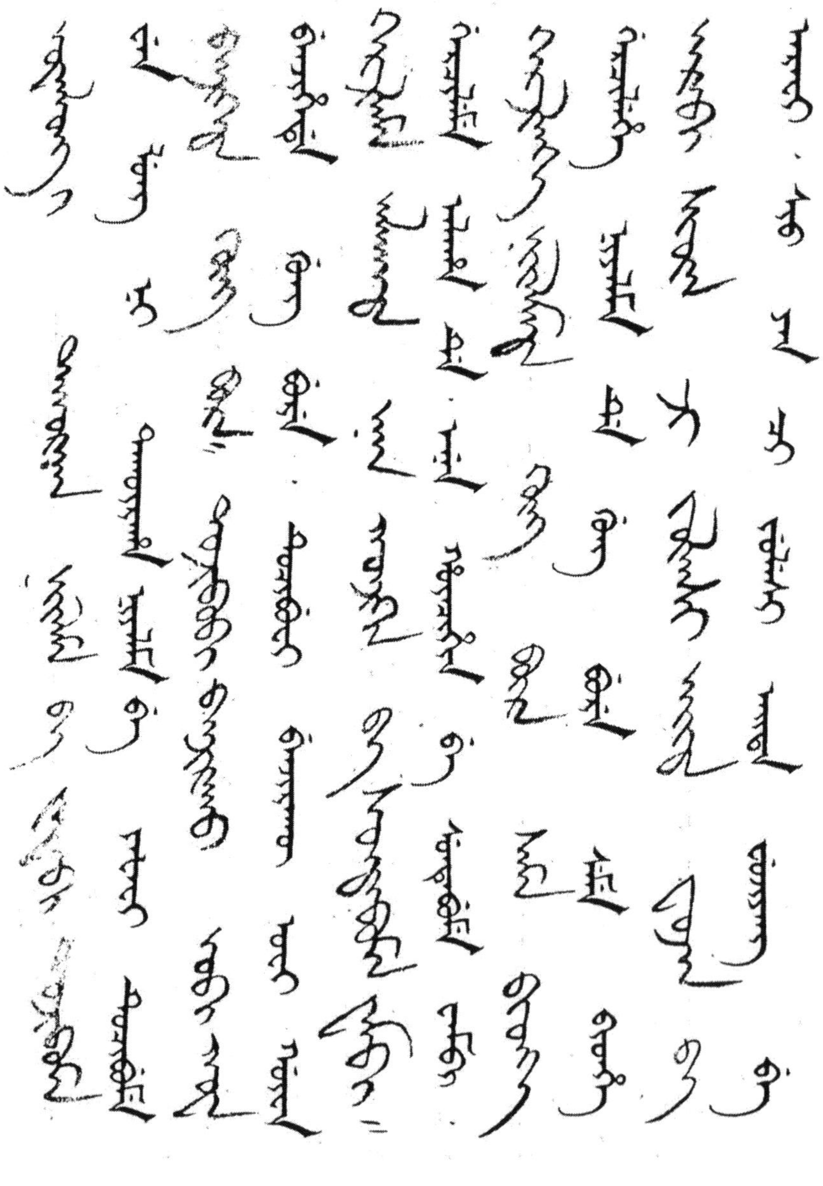

wen lung ni takūraha niyalma be jafafi tucibume benjihede
gung bure, tucibufi benjirakū ofi gūwa gercileme alaha de,
enen hūncihin be suntebume wambi, gercilehe niyalma de
gung bure seme bithe arafi, sio yan ci julesi aita fujiyang be

有擒獲毛文龍所派之人送來者授功，倘若因不拏送而被他
人首告時，則治以滅門[5]之罪，其首告者則授功。岫巖以
南，令愛塔副將往查。

有擒获毛文龙所派之人送来者授功，倘若因不拏送而被他
人首告时，则治以灭门之罪，其首告者则授功。岫岩以南，
令爱塔副将往查。

---

[5] 滅門，《滿文原檔》寫作 "enen konjikin ba(e) sontabo(u)ma(e)
wambi."，《滿文老檔》讀作 "enen hūncihin be suntebume wambi."，
意即「屠殺後嗣」。

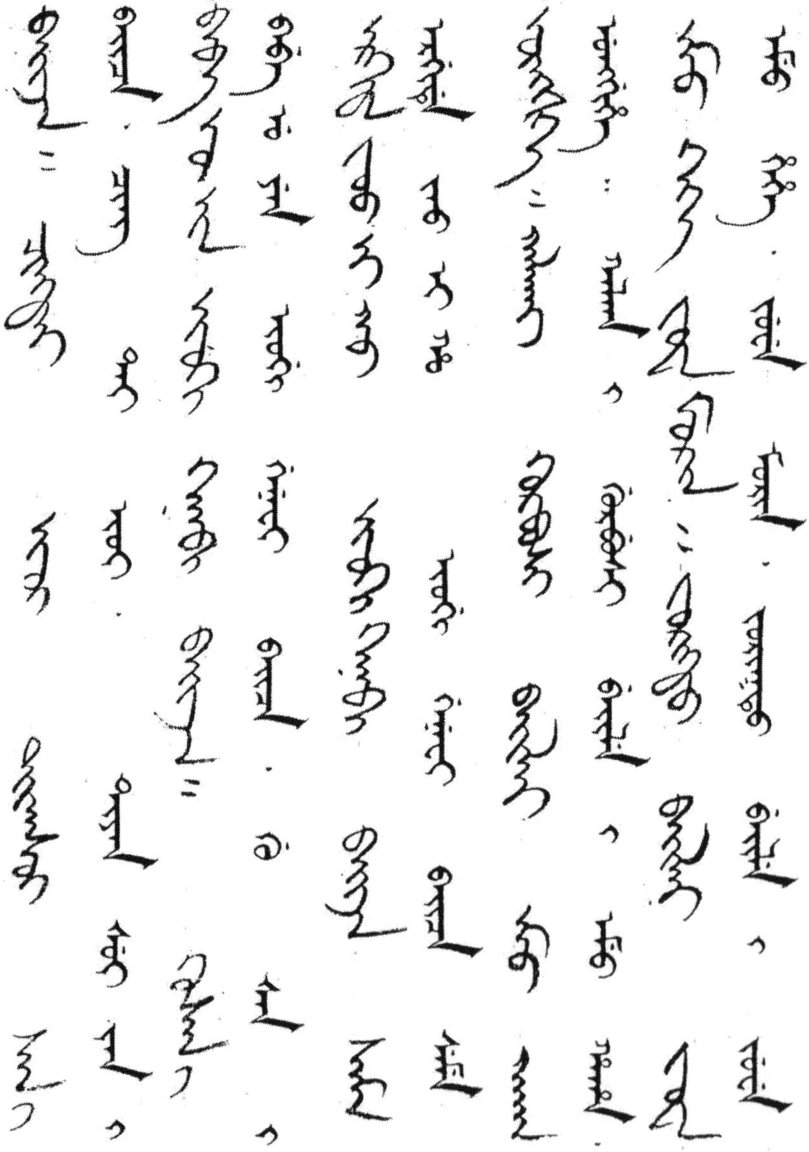

baica. cing tai ioi, tiyan šui jan i babe u yen iogi genefi baica. gu šan i ergide jao i ho iogi genefi baica seme unggihe. kalka i gurbusi beile i emu haha, emu hehe, juwe morin, joriktu beile i juwe

---

青苔峪、甜水站等處，遣吳印遊擊前往查之。孤山一帶，遣趙義和前往查之。」喀爾喀固爾布什貝勒之男一人、女一人攜馬二匹，卓里克圖貝勒之二人

青苔峪、甜水站等处，遣吴印游击前往查之。孤山一带，遣赵义和前往查之。」喀尔喀固尔布什贝勒之男一人、女一人携马二匹，卓里克图贝勒之二人

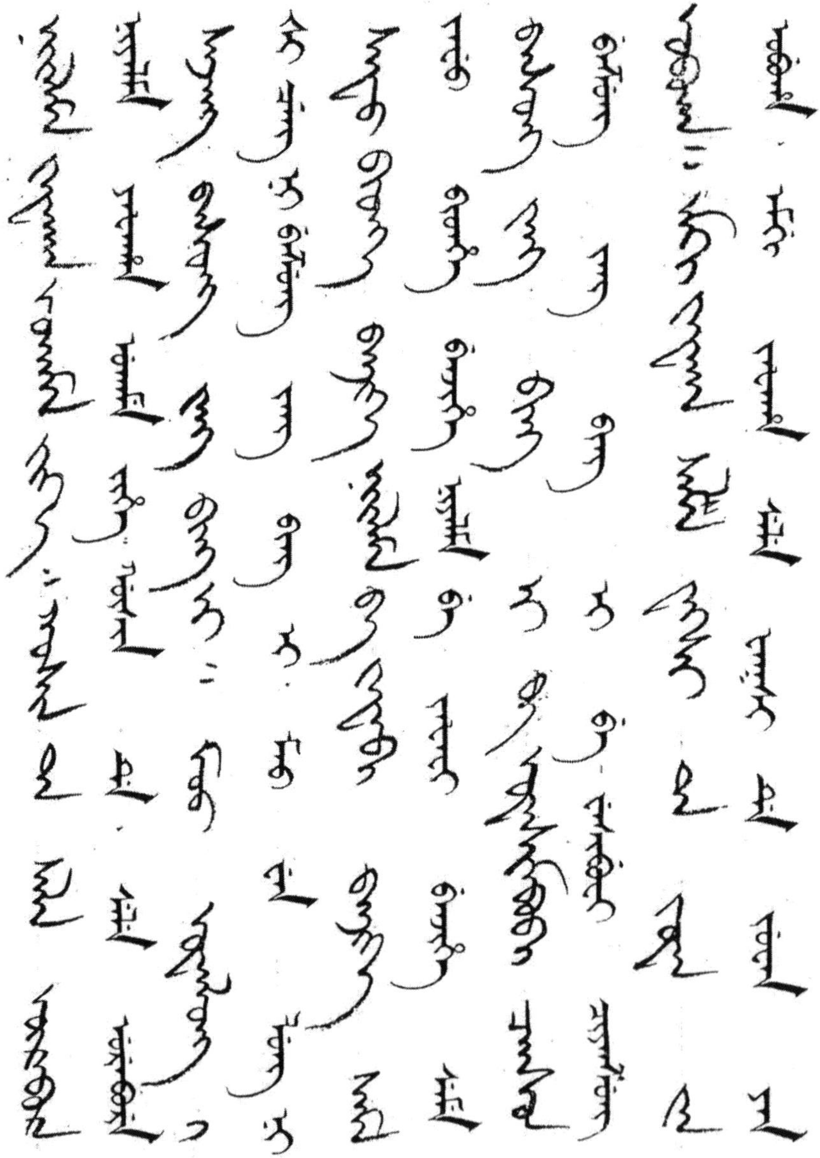

niyalma yafahan ukame jihe. gūsin de, sele urebure ši ceng ni bedzung jang bing i, mao wen lung ni jafu bithe benjihe niyalma be jafafi benjihe seme, bedzung jang bing i be wesibufi ciyandzung obuha, emgi jafaha sele faksi de juwan yan

————

步行逃來。三十日，以石城煉鐵把總張秉儀曾拏解為毛文龍傳送札付之人，擢陞把總張秉儀為千總，其一同協力擒拏之鐵匠，賞銀十兩。

————

步行逃来。三十日，以石城炼铁把总张秉仪曾拏解为毛文龙传送札付之人，擢升把总张秉仪为千总，其一同协力擒拏之铁匠，赏银十两。

二、罰銀治罪

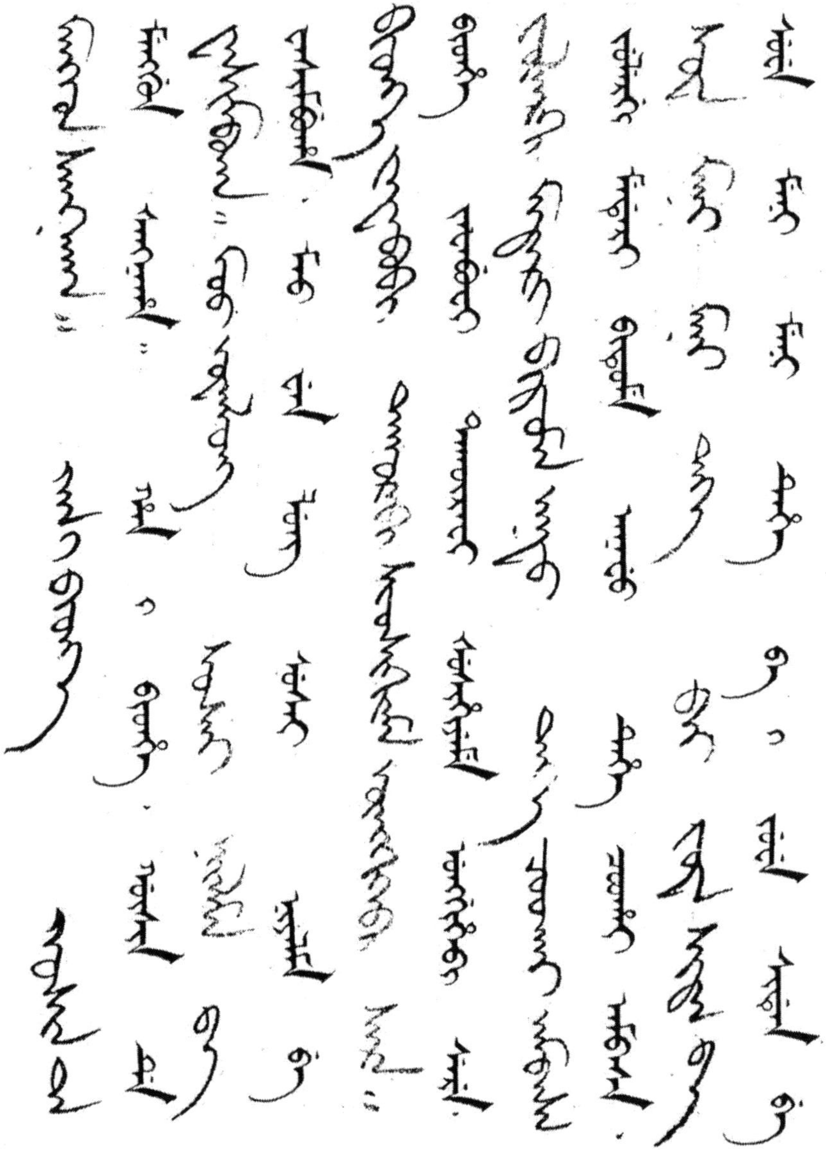

menggun šangnaha. han i bithe, gūsin de wasimbuha, mao
wen lung susai niyalma be bithe jafabufi takūrafi šusihiyeme
unggihebi sere. julergi mederi bitume anafu tehe coohai
ambasa, suwe meni meni tehe ba i juwe siden be

三十日，汗頒書面諭旨曰：「據悉毛文龍遣五十人執書前
來挑唆等語。戍守南海沿岸之統兵大臣，恐敵人於爾等各
自駐軍之間有隙可乘，

三十日，汗頒书面谕旨曰：「据悉毛文龙遣五十人执书前
来挑唆等语。戍守南海沿岸之统兵大臣，恐敌人于尔等各
自驻军之间有隙可乘，

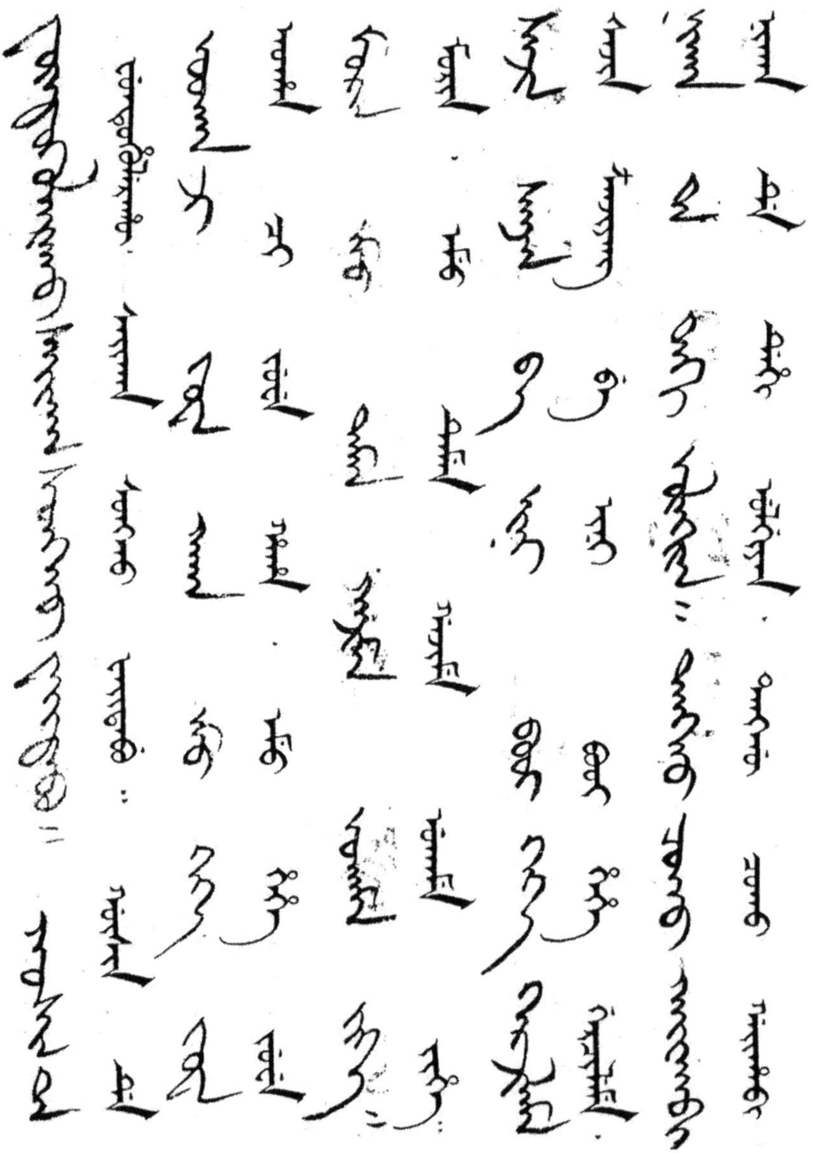

funtuhulerahū, saikan songko faitabu. gūsin de, aohan ci juwe haha, emu hehe, juwe morin, emu temen gajime ukame jihe. šajin ts'anjiyang be ini booi hehe gercileme, nikan de dehi ulgiyan, tanggū coko gaihabi

當善加搜尋踪跡。」三十日，有二男一女攜馬二匹、駝一隻由敖漢逃來。沙津參將因私取漢人豬四十口、雞一百隻，為其家婦首告，

当善加搜寻踪迹。」三十日，有二男一女携马二匹、驼一只由敖汉逃来。沙津参将因私取汉人猪四十口、鸡一百只，为其家妇首告，

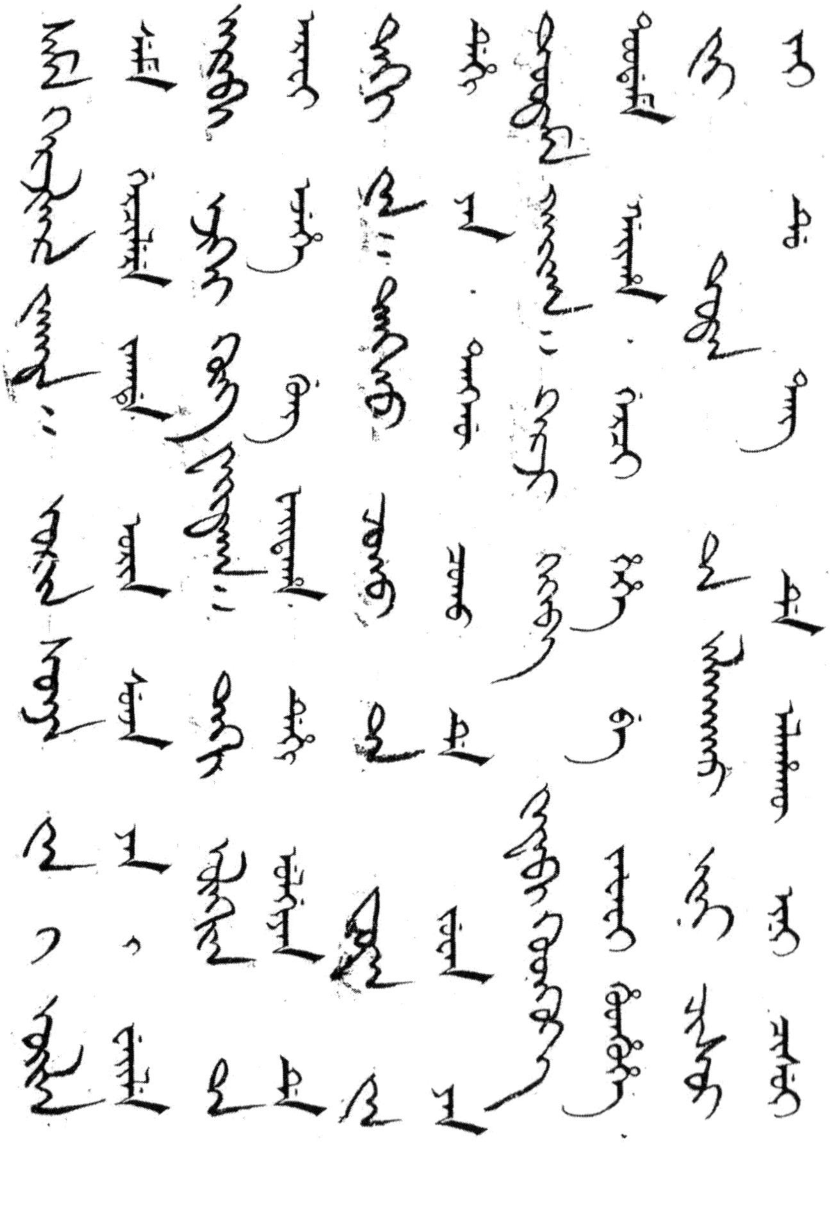

seme gercilere jakade, orin sunja yan i weile arafi ejehe gung
faitaha, dehi ulgiyan de dehi yan, tanggū coko de juwan yan
toodame gaiha. gerci hehe be jafafi huthuhe, jai du tang de
alahakū ini cisui

故罰銀二十五兩，銷所記之功，償還四十口豬銀四十兩，
一百隻雞銀十兩。因綁縛首告之婦，又未稟告都堂，擅自

故罚银二十五两，销所记之功，偿还四十口猪银四十两，
一百只鸡银十两。因绑缚首告之妇，又未禀告都堂，擅自

koro arafi sindaha seme, kuri, jakdan, ninggucin ilan
ciyandzung de juwanta yan i weile arafi gung faitaha. gerci
hehe gercileme duka de jihe be amasi gamaha seme,
miosihon de juwan ninggun yan weile araha. šajin nirui

用刑後釋放，故將庫里、札克丹、寧古欽三千總罰銀各十
兩，銷其功。首告之婦上門首告時，繆希渾將其送回，罰
銀十六兩。

用刑后释放，故将库里、札克丹、宁古钦三千总罚银各十
两，销其功。首告之妇上门首告时，缪希浑将其送回，罚
银十六两。

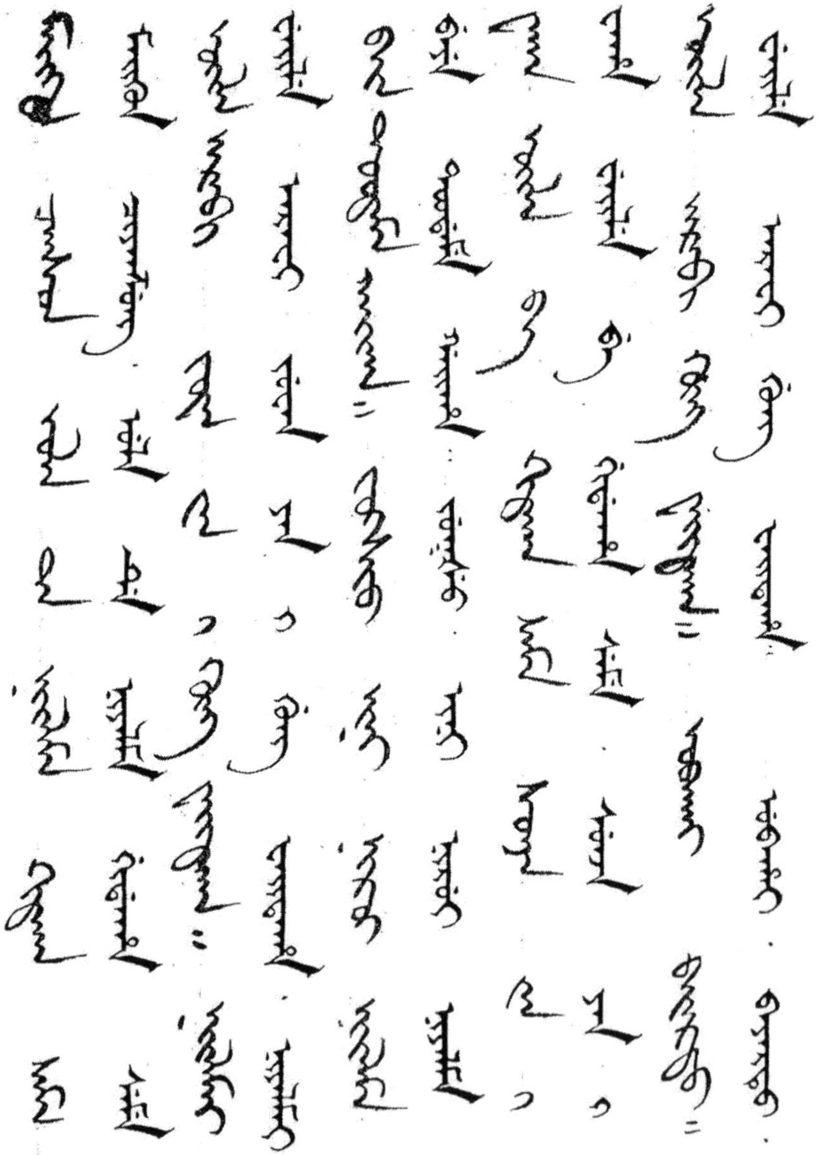

maikun ciyandzung, ula de niyalma gidaha seme weile arafi,
juwan yan i gung faitaha, niyalmai beye toodame gaiha.
jukšu ini nirui niyalma waha weile be gidaha seme, sunja
yan i weile arafi gung faitaha. ubahai, bayartu,

沙津牛彔下邁昆千總，因於烏拉隱匿人口而治罪，銷其功
銀十兩，並償還其所隱匿人口。朱克舒因隱匿其牛彔殺人
之罪，故罰銀五兩，銷其功。烏巴海、巴雅爾圖、

沙津牛彔下迈昆千总，因于乌拉隐匿人口而治罪，销其功
银十两，并偿还其所隐匿人口。朱克舒因隐匿其牛彔杀人
之罪，故罚银五两，销其功。乌巴海、巴雅尔图、

hūsibu nirui karun i bosun be, ukame genehe juwe monggo, sini babe jase efulefi tucici, si ainu sahakū. saikan kederehekū heoledehe seme, ubahai, bayartu de tofohoto yan, karun i bosun de juwan yan i weile

胡希布牛彔下之哨探波蓀，因逃走之蒙古二人由爾處越境而出，爾為何不知，為何未善加巡察，怠慢從事，故罰烏巴海、巴雅爾圖銀各十五兩，哨探波蓀罰銀十兩，

胡希布牛彔下之哨探波荪，因逃走之蒙古二人由尔处越境而出，尔为何不知，为何未善加巡察，怠慢从事，故罚乌巴海、巴雅尔图银各十五两，哨探波荪罚银十两，

araha, ukame genehe juwe monggo, juwe morin be toodame
gaiha. jongtoi, hūsita be amcame genefi, jasei jaka be
kedereme deduhekū, pu i dolo deduhe seme, tofohoto yan i
weile araha. ilan biyai ice inenggi, guwangning de

並命償還逃走之蒙古二人、馬二匹。鍾托依、胡希塔往追
逃人，未於邊界巡夜住宿，而宿於堡內，罰銀十五兩。三
月初一日，致書諭廣寧曰：

并命偿还逃走之蒙古二人、马二匹。锺托依、胡希塔往追
逃人，未于边界巡夜住宿，而宿于堡内，罚银十五两。三
月初一日，致书谕广宁曰：

三、淘金挖銀

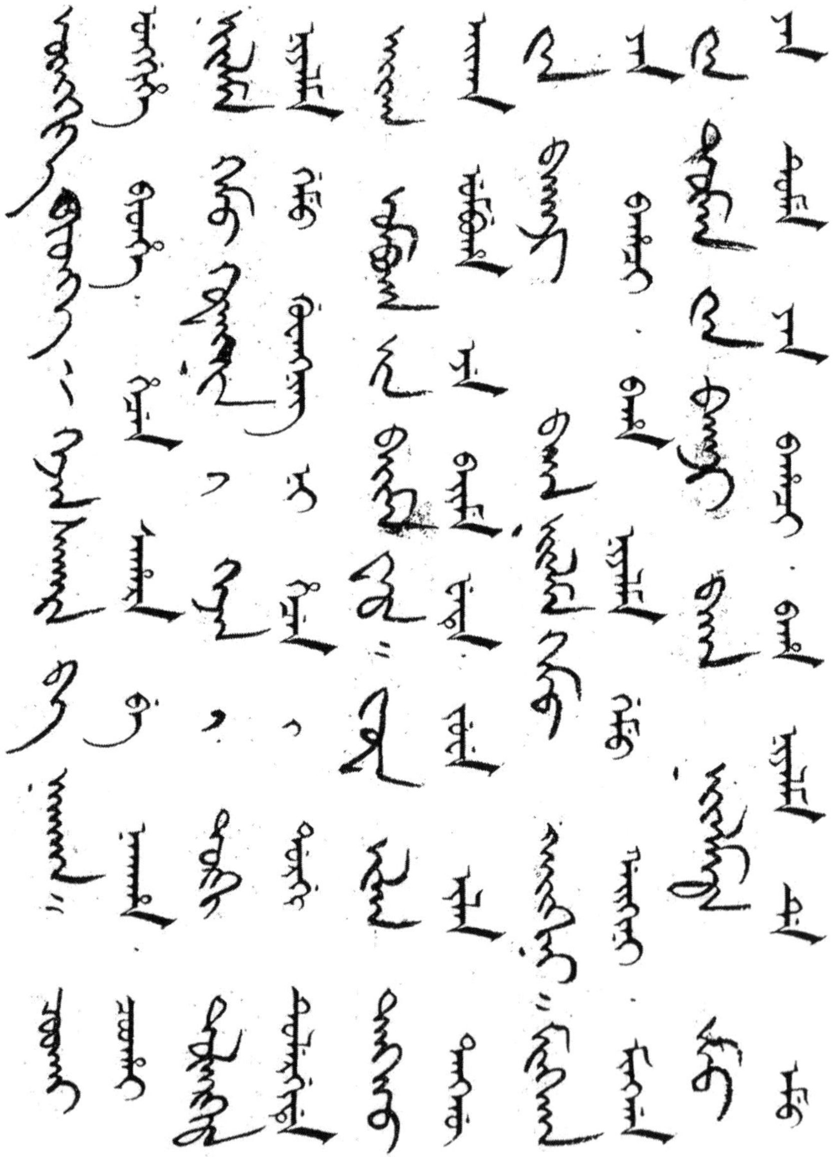

unggihe bithe, hecen sahara be nakaha, coohai niyalma gemu guwangning ni hecen i dorgi tulergide aika umbuha eye baime fete, juwe ilan tanggū yan bahaci, baha niyalma gemu gaikini. minggan yan tumen yan bahaci, baha niyalma de emu

---

「著停止築城，兵丁皆於廣寧城內挖覓埋藏物品之地窖，若得二、三百兩，皆由所得之人取之；若得千兩、萬兩，

「着停止筑城，兵丁皆于广宁城内挖觅埋藏物品之地窖，若得二、三百两，皆由所得之人取之；若得千两、万两，

hontoho bumbi. suje gecuheri ambula bahaci, ajige ajige deji bufi baha niyalma gemu gaikini. jeku bahaci, baha niyalma uncakini. ineku tere inenggi, du tang ni bithe, nikan de wasimbuha, aisin, menggun tucire ba i niyalma, usin

以其半給與所得之人；若所得之綢緞、蟒緞甚多，則以少量獻之[6]，其餘皆由所得之人取之；若得糧食，准所得之人售賣。」同日，都堂頒書諭漢人曰：「命金、銀產地之人，

以其半给与所得之人；若所得之绸缎、蟒缎甚多，则以少量献之，其余皆由所得之人取之；若得粮食，准所得之人售卖。」同日，都堂颁书谕汉人曰：「命金、银产地之人，

---

[6] 少量獻之，《滿文原檔》寫作 "ajike ajike taji bübi"，《滿文老檔》讀作 "ajige ajige deji bufi"，句中 "deji"係蒙文"degeji"借詞，意即「（獻）德吉」（蒙古族待客習俗，主人常以物品首件獻給客人，以示尊敬）。

ᠮᠠᠨᠵᡠ

weilere erinde ume fetere, usin i weile tookaburahū. usin
weilere šolo tucike erinde, aisin wereki, menggun feteki sere
niyalma bithe wesimbufi, were fete sehe manggi, were, fete.
dele bithe wesimburakū, dergi gisun

勿於農耕時挖掘，恐誤農耕。農耕閒暇時，淘金挖銀[7]之
人經具奏奉准淘挖後，方可淘挖。其不經具奏，

勿于农耕时挖掘，恐误农耕。农耕闲暇时，淘金挖银之人
经具奏奉准淘挖后，方可淘挖。其不经具奏，

---

[7] 淘金挖銀，《滿文原檔》寫作 "aisin uwa(e)ra(e)ki menggün wa(e)ta(e)ki"，
　　《滿文老檔》讀作 "aisin wereki, menggun feteki"。　按此為無圈點
　　滿文 "uwe"與 "we"、 "we"與 "fe"之混用現象。

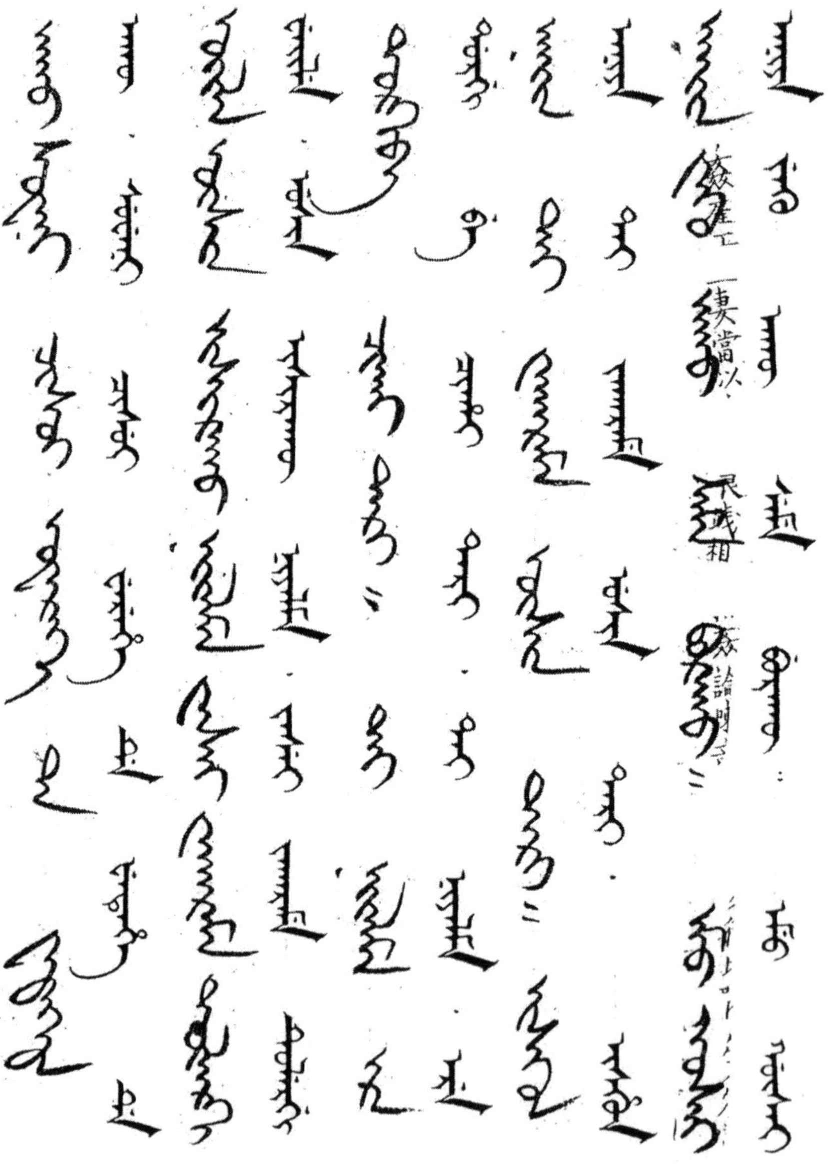

akū, suweni cisui werehe de fetehe de weile. usin isirakū
niyalma, jasei jakarame tulergi dorgi be cihai tari. tai
niyalma, ere aniya tai jakarame usin tari. ishun aniya jeku
akū seme burakū. emu gūsai

未奉上諭，爾等若擅自淘挖時，則罪之。田地不足之人，
可於沿邊內外任其耕種。臺站之人，今年於沿臺一帶耕
種。明年雖無糧，亦不供給。」

未奉上谕，尔等若擅自淘挖时，则罪之。田地不足之人，
可于沿边内外任其耕种。台站之人，今年于沿台一带耕种。
明年虽无粮，亦不供给。」

四、防守邊境

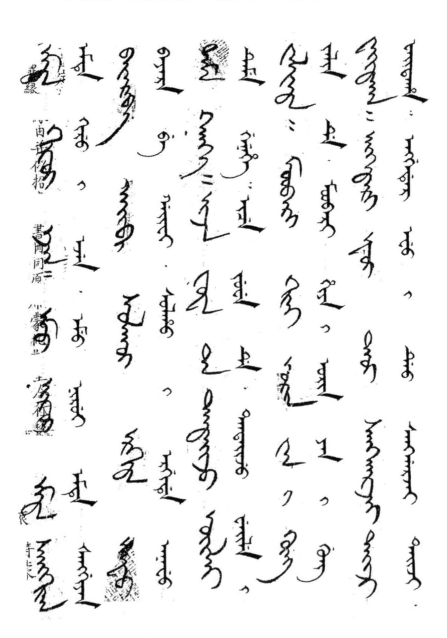

emte kiru i ejen, emu nirui emte šanggiyan bayara be gaifi, solho i ergide anafu teme genehe. ice juwe de, tantaiju weile i jalin de, moobari hiya i orin yan i gung faitaha. enggeder efu i deo sanggarjai taiji,

命每旗出小旗長各一人率每牛彔各一白巴雅喇，前往朝鮮邊界一帶駐守。初二日，毛巴里侍衛因譚泰柱之罪，銷銀二十兩之功。恩格德爾額駙之弟桑噶爾寨台吉

命每旗出小旗长各一人率每牛彔各一白巴雅喇，前往朝鲜边界一带驻守。初二日，毛巴里侍卫因谭泰柱之罪，销银二十两之功。恩格德尔额驸之弟桑噶尔寨台吉

emu haha, emu hehe, juwe morin gajime ukame jihe. ice ilan de, wangšan ecike, arai tung yuwan pu de jakūn tanggū cooha, tuhei ši fang sy de duin tanggū cooha be gaifi, anafu teme genere de, unggihe bithei

---

率一男一女，攜馬二匹逃來。初三日，汪善叔父、阿賴率兵八百名前往戍守通遠堡；圖黑率兵四百名前往戍守十方寺。汗致書諭曰：

率一男一女，携马二匹逃来。初三日，汪善叔父、阿赖率兵八百名前往戍守通远堡；图黑率兵四百名前往戍守十方寺。汗致书谕曰：

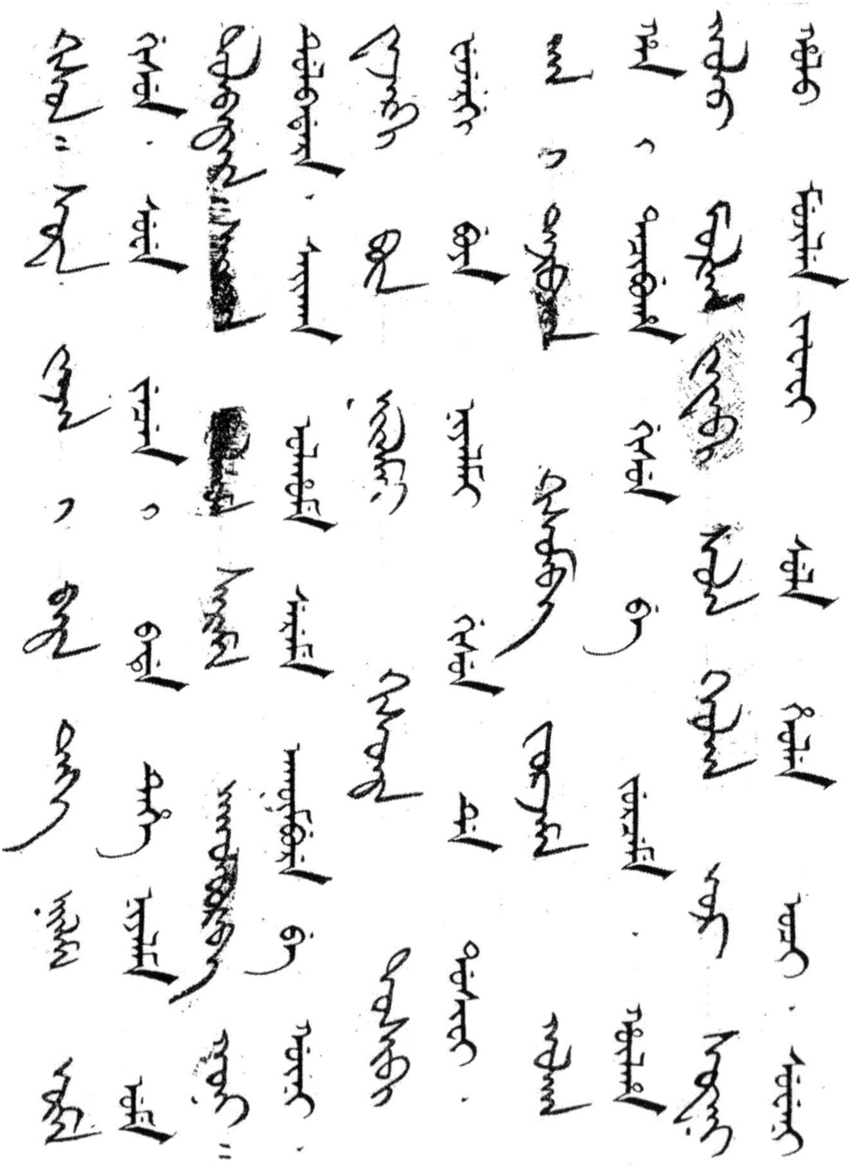

gisun, suwe jecen i bade tehe niyalma ume dulbadara, saikan olhome sereme akūmbure be gūni. fejergi buya niyalmai gisun de dosifi, han i tacibuha gisun be jurceme, hūlha holo mujilen jafafi sula heolen oci, suweni

「爾等駐守邊境之人，切勿玩忽，當善加謹慎盡心防守。若聽信屬下小人之言，而違悖[8]汗之訓諭，存賊盜之心，疏忽怠慢，

「尔等驻守边境之人，切勿玩忽，当善加谨慎尽心防守。若听信属下小人之言，而违悖汗之训谕，存贼盗之心，疏忽怠慢，

---

[8] 違悖，《滿文原檔》寫作 "jorjama"，《滿文老檔》讀作 "jurceme"。按滿文"jurcembi"係蒙文"jöričekü"借詞(根詞"jurce-"與 "jöriče-" 相仿)，意即「違犯」。

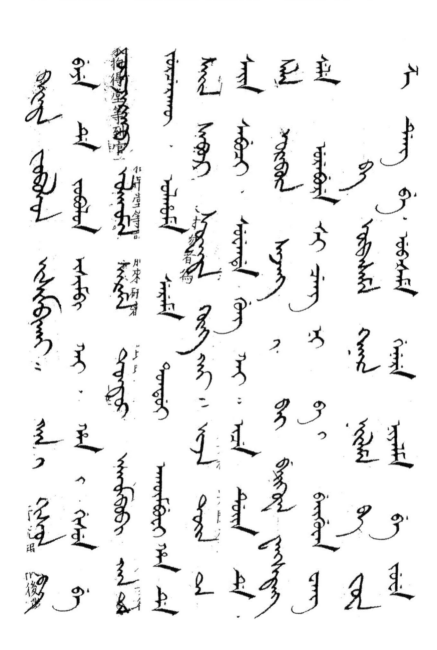

beye de jobolon isimbi kai. han i gisun be jurcerakū, olhome sereme tondoi akūmbufi han de sain sabuci, suwende gung kai. ice duin de, sele urebure ši ceng ni ba i beiguwan wang dzi deng be, ubašame genere niyalma be juwe

---

則爾等自身必招禍患也。若不違悖汗之訓諭，謹慎小心，盡忠圖報，見善於汗，則必記爾等之功也。」初四日，煉鐵石城地方備禦官王子登因追趕叛逃之人

则尔等自身必招祸患也。若不违悖汗之训谕，谨慎小心，尽忠图报，见善于汗，则必记尔等之功也。」初四日，炼铁石城地方备御官王子登因追赶叛逃之人

tanggū bade isitala amcaha, mao wen lung ni šusihiyeme
unggihe niyalma be jafafi benjihe seme iogi obuha. niyehe
šancin de, kubuhe lamun i gūsai tanggū uksin be suji gaifi
tembi. giyaha de kubuhe šanggiyan i

至二百里，擒獻毛文龍遣來挑唆離間之人，故陞為遊擊。
蘇吉率鑲藍旗[9]披甲百人駐聶赫山寨。

至二百里，擒献毛文龙遣来挑唆离间之人，故升为游击。
苏吉率镶蓝旗披甲百人驻聂赫山寨。

---

[9] 鑲藍旗，句中「鑲」，《滿文原檔》寫作 "kübüke"，《滿文老檔》讀
作 "kubuhe"。按滿文 "kubuhe" 係蒙文 "köbege" 借詞，意即「鑲邊」。

五、八旗披甲

gūsai tanggū uksin be menggušen gaifi tembi. samcan de,
gulu suwayan i gūsai tanggū uksin be langjuhū gaifi tembi.
ts'oo ho pu de, juwe šanggiyan, juwe lamun i duin tanggū
uksin be aidahan, sencehe gaifi tembi.

孟古紳率鑲白旗披甲百人駐嘉哈。郎珠虎率正黃旗[10]披甲
百人駐薩木纏。愛達漢、森車赫率二白、二藍旗披甲四百
人駐草河堡。

孟古绅率镶白旗披甲百人驻嘉哈。郎珠虎率正黄旗披甲百
人驻萨木缠。爱达汉、森车赫率二白、二蓝旗披甲四百人
驻草河堡。

---

[10] 正黃旗，句中「正」，《滿文原檔》寫作 "külü"，《滿文老檔》讀
作 "gulu"。按滿文 "gulu" 係蒙文 "gülü" 借詞，意即「純的、正的
（顏色）」。

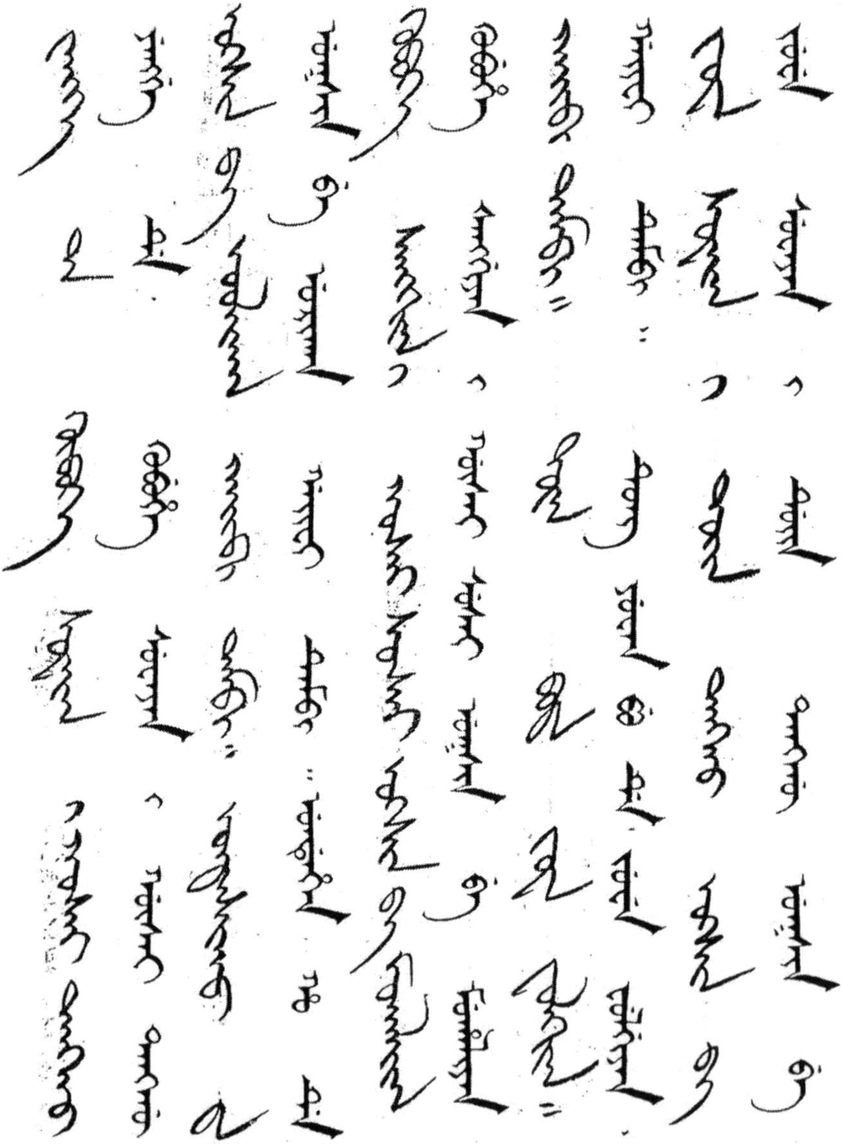

yengge de, kubuhe suwayan i gūsai tanggū uksin be urikan gaifi tembi. undehen ho de, kubuhe šanggiyan i gūsai susai uksin be muhaliyan gaifi tembi. tung yuwan pu de, juwe fulgiyan, juwe suwayan i duin tanggū uksin be

---

烏里堪率鑲黃旗披甲百人駐英額。穆哈連率鑲白旗披甲五十人駐溫德痕河[11]。米納率二紅、二黃旗披甲四百人駐通遠堡。

烏里堪率鑲黃旗披甲百人駐英額。穆哈連率鑲白旗披甲五十人駐溫德痕河。米納率二紅、二黃旗披甲四百人駐通遠堡。

---

[11] 溫德痕河，《滿文原檔》寫作"ontasiko"，訛誤；《滿文老檔》讀作"undehen"，改正。

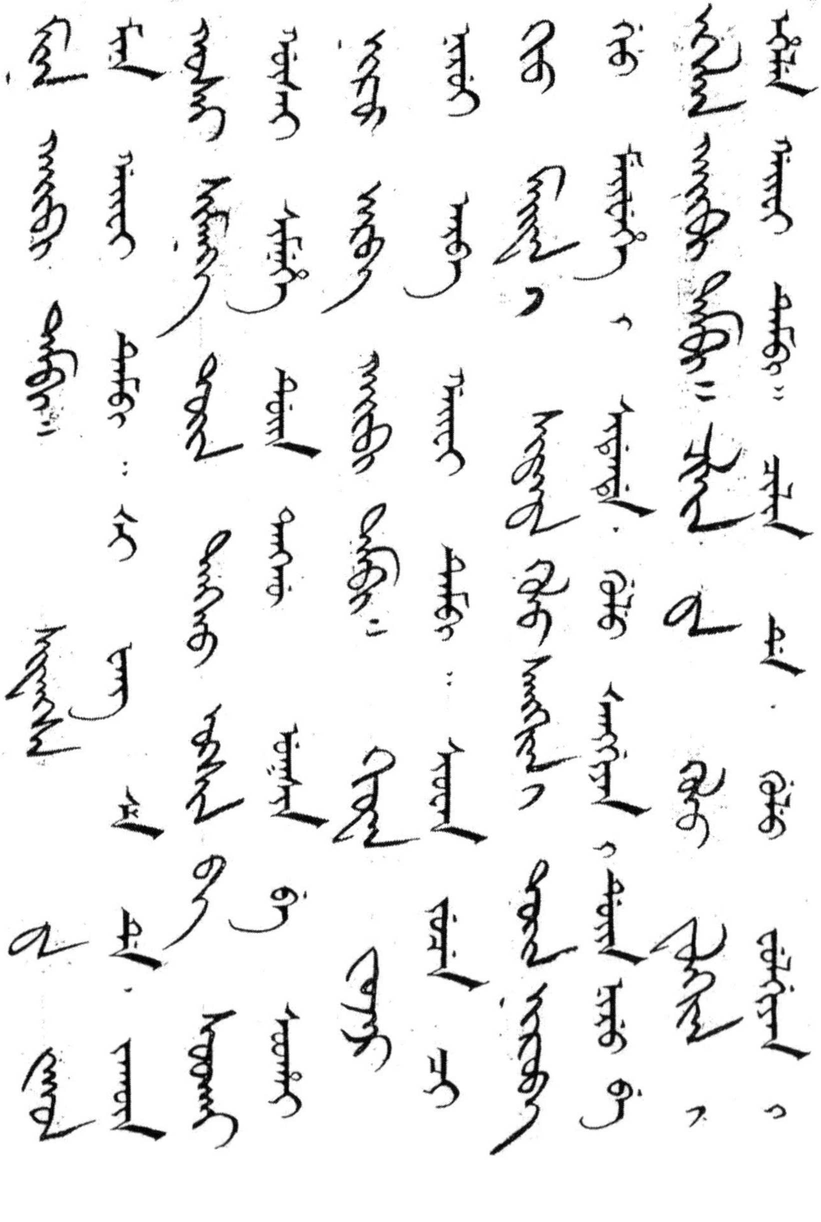

mina gaifi tembi. ši fang sy de, jakūn gūsai simnehe duin tanggū uksin be soohai nirui arba gaifi tembi. siowan juce ci gio meifehe i sidende, gulu šanggiyan i duin niru be ehelen gaifi tembi. cilin de, gulu fulgiyan i

索海牛彔下阿爾巴率八旗揀選之披甲四百人駐十方寺。額赫勒恩率正白四牛彔駐宣堆子至麏子坡之間。

索海牛彔下阿尔巴率八旗拣选之披甲四百人驻十方寺。额赫勒恩率正白四牛彔驻宣堆子至狍子坡之间。

gūsai ilan niru be gosin, kiyangkiyan gaifi tembi. fung ji pu de, gulu lamun i gūsai ilan niru be kubuhe šanggiyan i arbuha gaifi tembi. sung šan pu de, kubuhe fulgiyan i gūsai ilan niru be subsingga gaifi tembi. fan ho de,

---

郭忻、強錢率正紅旗三牛彔駐鐵嶺。鑲白阿爾布哈率正藍旗三牛彔駐奉集堡。蘇布興阿率鑲紅旗三牛彔駐松山堡。

郭忻、强钱率正红旗三牛彔驻铁岭。镶白阿尔布哈率正蓝旗三牛彔驻奉集堡。苏布兴阿率镶红旗三牛彔驻松山堡。

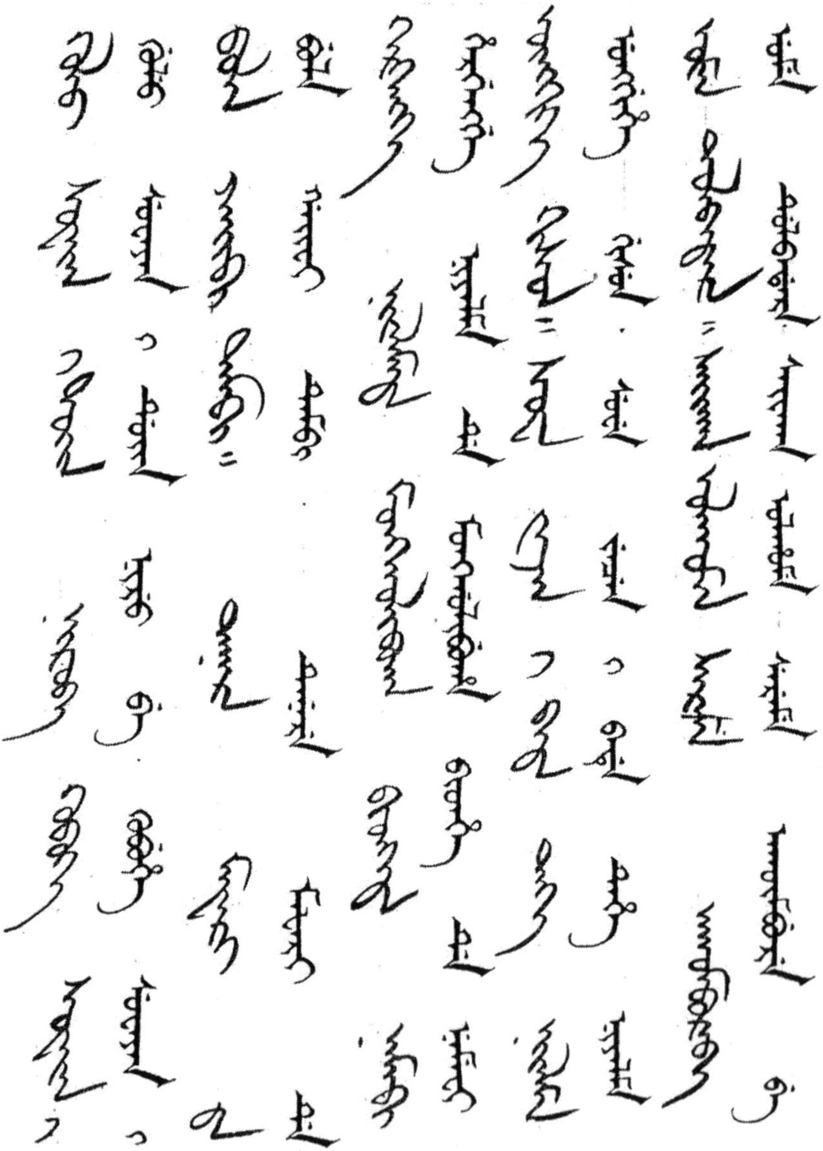

gulu suwayan i duin niru be, kubuhe suwayan i bula gaifi tembi. tenere mafari de, hergengge niyalma de monggolibuha bithe de nemefi unggihe gisun, suwe jecen i bade tehe niyalma ume dulbadara, saikan olhome sereme akūmbure be

————

鑲黃旗布拉率正黃旗四牛彔駐范河。加派前往駐守之老人及有職之人項上所掛之文曰：「爾等駐守邊境之人，切勿玩忽，當善加謹慎，盡心防守。

————

鑲黃旗布拉率正黃旗四牛彔驻范河。加派前往驻守之老人及有职之人项上所挂之文曰：「尔等驻守边境之人，切勿玩忽，当善加谨慎，尽心防守。

gūni. fejergi buya niyalmai gisun de dosifi, han i tacibuha
gisun be jurceme, hūlha holo mujilen jafafi sula heolen oci,
suweni beyede jobolon isimbi kai. han i gisun be jurcerakū,
olhome sereme tondoi akūmbufi han de sain

若聽信屬下小人之言，而違悖汗之訓諭，存賊盜之心，疏
忽怠慢，則爾等自身必招禍患也。若不違悖汗之訓諭，謹
慎小心，盡忠圖報，見善於汗，

若听信属下小人之言，而违悖汗之训谕，存贼盗之心，疏
忽怠慢，则尔等自身必招祸患也。若不违悖汗之训谕，谨
慎小心，尽忠图报，见善于汗，

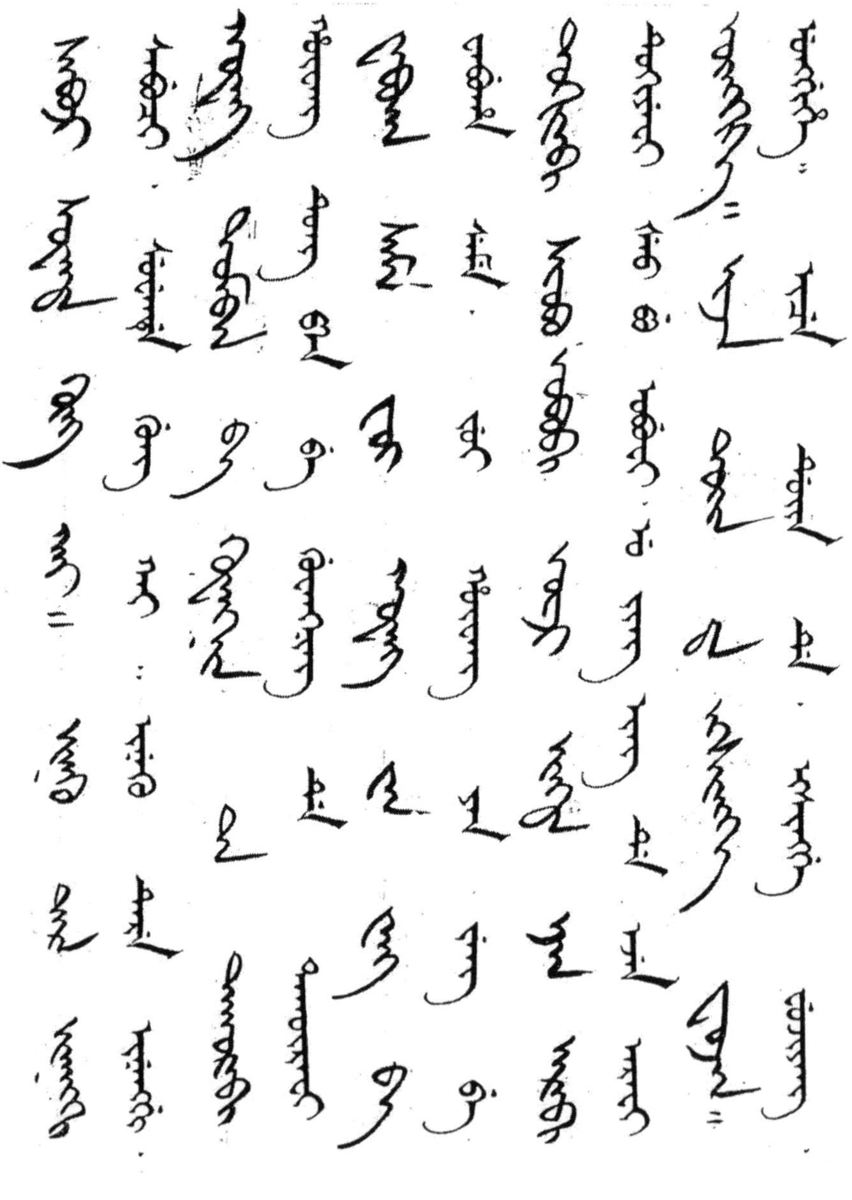

sabuci, suwende gung kai. ineku tere inenggi, hūwang tung
pan be guwangning de takūrafi wabuha seme, jui hūwang
yan jeng be tukiyefi šeo pu obufi, u jing ing de ejen arafi
unggihe. ice duin de, eksingge fujiyang,

則必記爾等之功也。」是日，因遣往廣寧之黃通判被殺，
故舉其子黃彥正為守堡，委派武靖營之長。初四日，額克
興額副將

則必记尔等之功也。」是日，因遣往广宁之黄通判被杀，
故举其子黄彦正为守堡，委派武靖营之长。初四日，额克
兴额副将

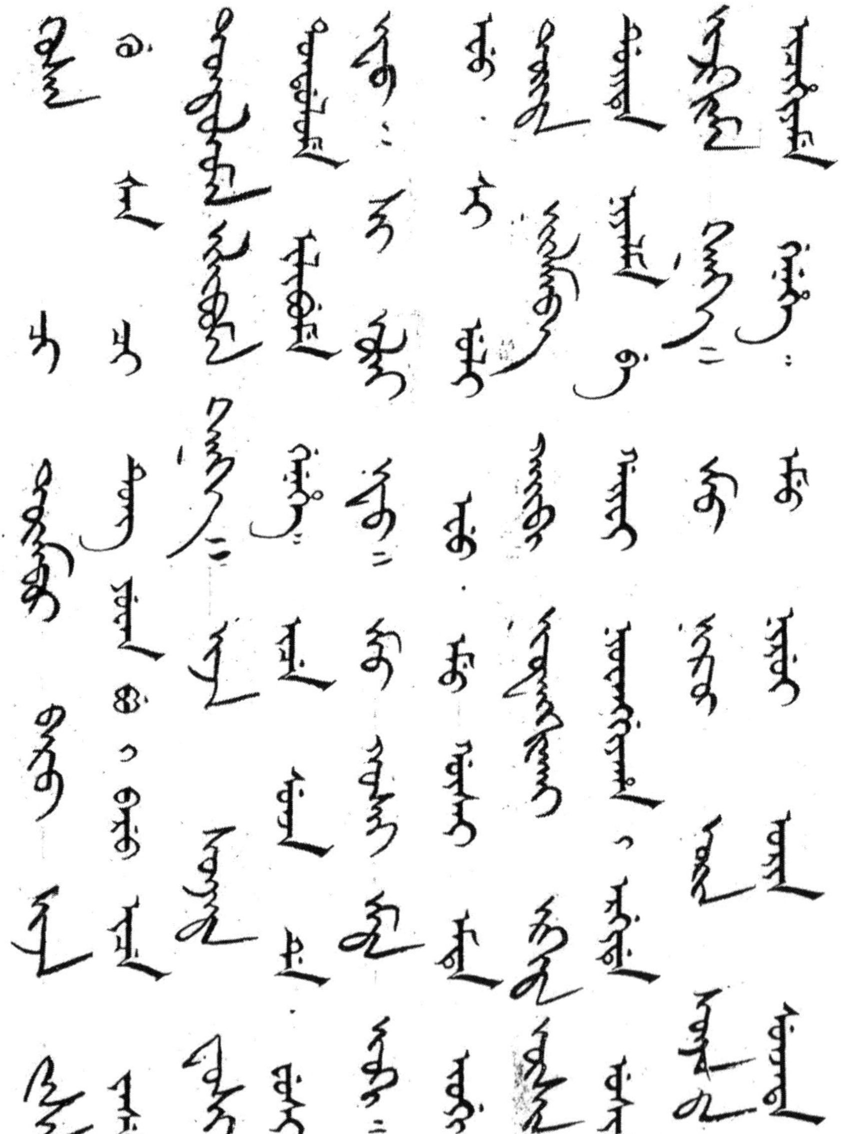

gu šan ci tung yuwan pu i baru ice jase tondolome ilibume genehe. ice sunja de, fusi efu, si uli efu, emu gūsai emte iogi, duite niyalma be gaifi niowanggiyaha i ergide usin icihiyame genehe. emu nirui orin sunjata

前往設立由孤山徑抵通遠堡之新邊界。初五日，撫順額駙、西烏里額駙率每旗遊擊各一員、兵丁各四人，前往清河邊上辦理田地事宜。派出每牛彔

前往设立由孤山径抵通远堡之新边界。初五日，抚顺额驸、西乌里额驸率每旗游击各一员、兵丁各四人，前往清河边上办理田地事宜。派出每牛彔

六、妻離子散

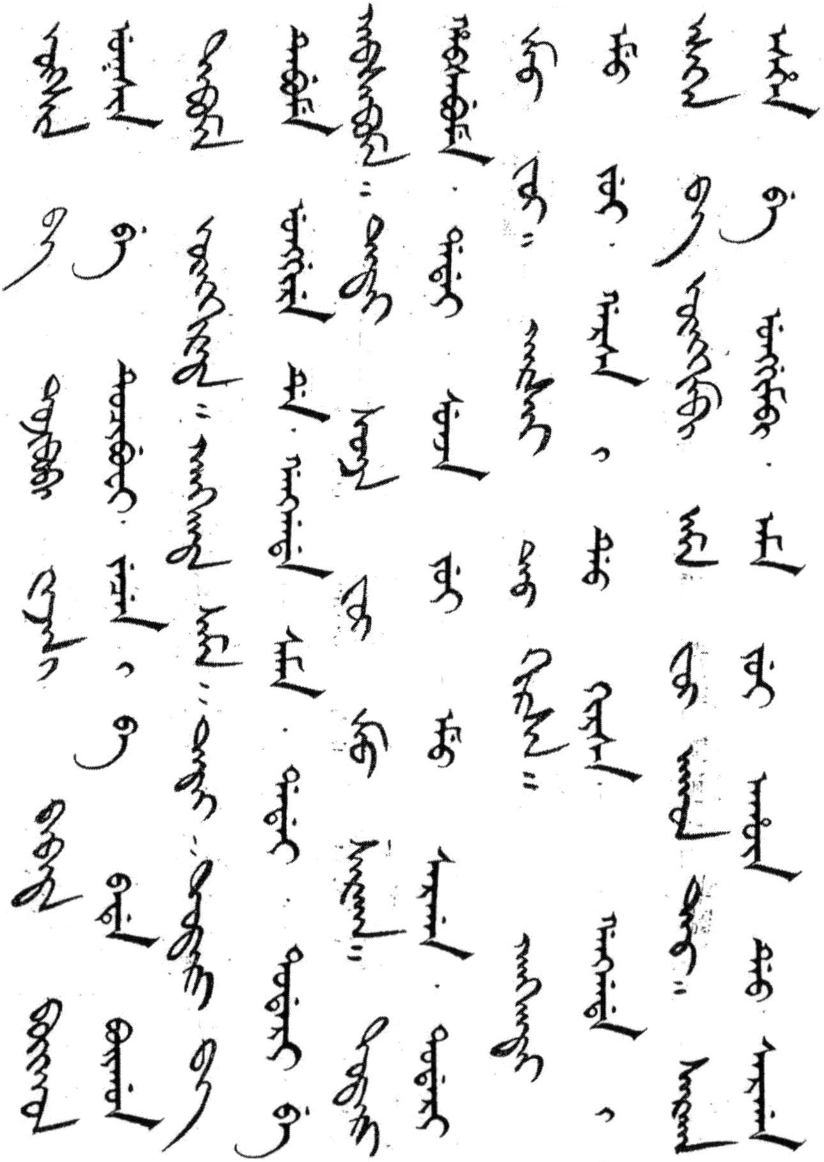

uksin be tucibufi, jecen i ba bade boigon tebume unggire de, ganggada saman, dadai, todari be habšabume, dadai sunja jui emu sargan, todari emu jui, garsa i deo kirsa, ganggada i eshen be unggimbi, ama jui, ahūn deo, sargan

---

披甲各二十五人，前往邊境地方安置戶口。剛噶達薩滿使達岱、托達里告狀，謂達岱有五子一妻，托達里有一子，噶爾薩之弟齊爾薩、剛噶達之叔皆被遣，父子、兄弟、妻子

披甲各二十五人，前往边境地方安置户口。刚噶达萨满使达岱、托达里告状，谓达岱有五子一妻，托达里有一子，噶尔萨之弟齐尔萨、刚噶达之叔皆被遣，父子、兄弟、妻子

adarame fakcara seme beise de alara jakade, beise geren du
tang de duile seme afabuha. du tang, ganggada be gana
fonjiki seme juwe jergi ganaci, jihekū oho manggi, geren
beidesi duilefi, sini cisui gisun

怎可離散云云，悉以其言稟告諸貝勒。諸貝勒遂交由眾都
堂審理。都堂傳剛噶達前來訊問，傳二次皆未來。眾審事
官審斷曰：「怎可聽爾私言？

怎可离散云云，悉以其言禀告诸贝勒。诸贝勒遂交由众都
堂审理。都堂传刚噶达前来讯问，传二次皆未来。众审事
官审断曰：「怎可听尔私言？

donjime jici adarame ombi. si han i unggire be yebelerakū, mujakū ama jui, ahūn deo, eigen sargan be faksalafi ainu unggimbi. emu tanggū susai uksin de giyan i tucibure niyalma bikai. tuttu oci,

---

爾著實不服汗之派遣，何謂離散父子、兄弟、夫婦耶？一百五十名披甲，乃理應派遣之人也。如此，

尔着实不服汗之派遣，何谓离散父子、兄弟、夫妇耶？一百五十名披甲，乃理应派遣之人也。如此，

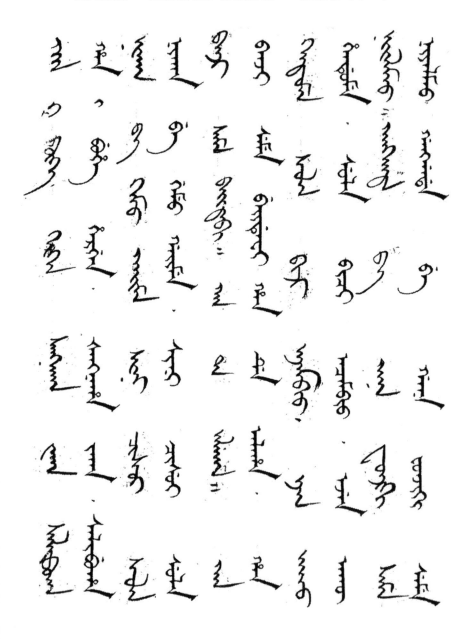

han i buhe hergen, šangnaha jaka, salibuha nikan be gemu
gaime, sini cisui sula banji seme beidefi han de alaha, han
hendume, sula bici acambio. ejen akū niyalmao. ganggada be
gana fonjiki seme,

受汗所賜之職爵，俱享所賞之物及專管之漢人，任爾獨自
閒居。」審畢稟告於汗。汗曰：「令其閒居，豈不成無主
之人耶？著傳剛噶達前來訊問。」

受汗所赐之职爵，俱享所赏之物及专管之汉人，任尔独自
闲居。」审毕禀告于汗。汗曰：「令其闲居，岂不成无主
之人耶？着传刚噶达前来讯问。」

ganaci, jiderengge goidara jakade, han fonjime, ganggada
aba seme fonjire jakade, tede geren beidesi alame, be duilere
bade juwe jergi ganaci jihekū seme alaha manggi, han jili
banjifi huthume ganabufi, ganaggada i

傳之，遲遲不來。汗問曰：「剛噶達在何處？」眾審事官
稟告曰：「我等審理時，傳召二次未來。」汗動怒，命綁
縛解來，

传之，迟迟不来。汗问曰：「刚噶达在何处？」众审事官
禀告曰：「我等审理时，传召二次未来。」汗动怒，命绑
缚解来，

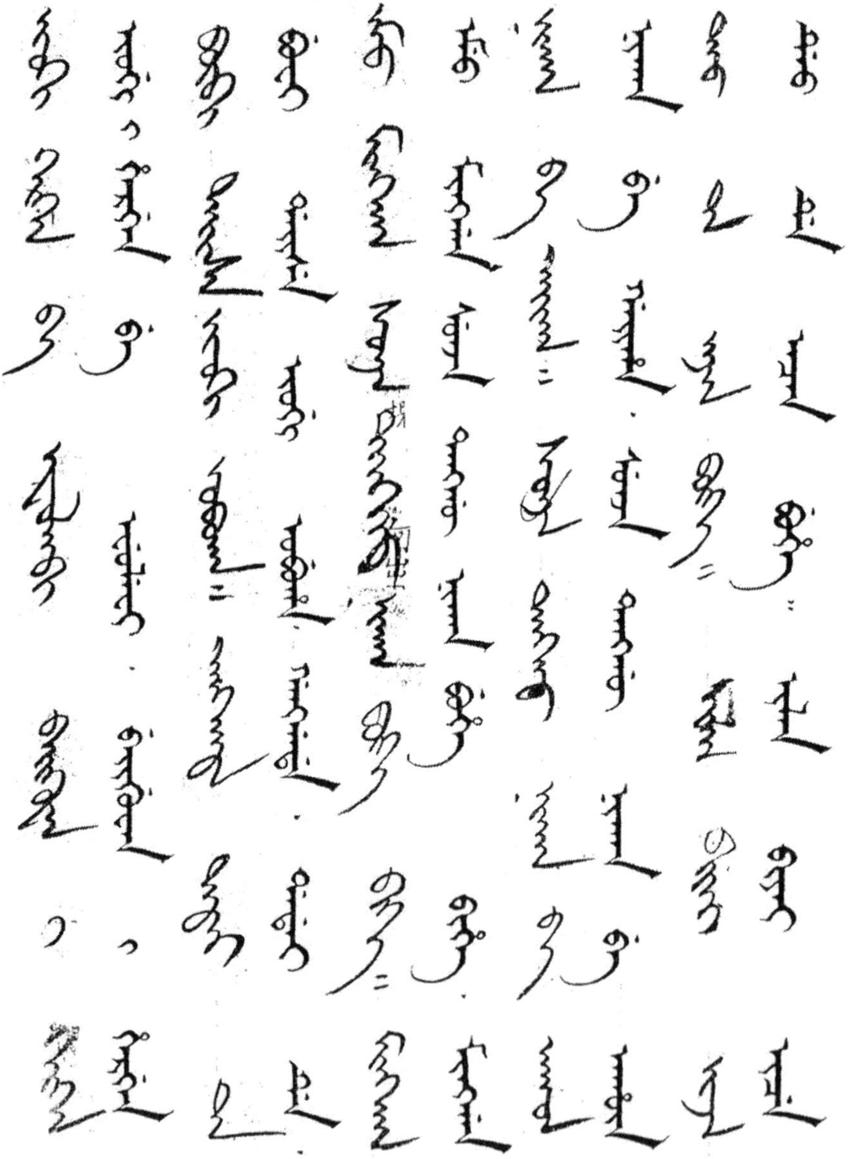

iogi i hergen be efulefi, beiguwan i hergen bufi daise iogi obuha. ganggada, dadai de emu minggan sunja tanggū nikan buhe bihe, minggan nikan be gaiha, sunja tanggū nikan be ahūn deo de acan buhe. ilan biyai ice

革剛噶達遊擊之職，授備禦官之職，為代理遊擊。將已給剛噶達及達岱之漢人一千五百名，沒收一千名，其餘漢人五百名合給其兄弟。三月初六日，

革刚噶达游击之职，授备御官之职，为代理游击。将已给刚噶达及达岱之汉人一千五百名，没收一千名，其余汉人五百名合给其兄弟。三月初六日，

七、掠奪人畜

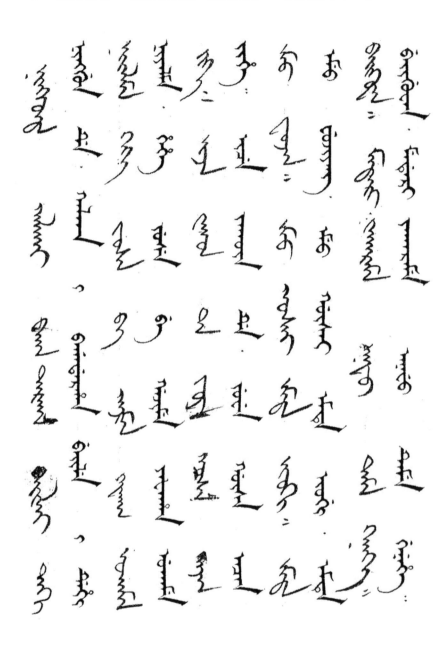

ninggun de, kalka i bagadarhan beile i dehi niyalma, hehe juse be gajime yafahan ukame jihe. ice jakūn de, juwe gūsa acan emu fujiyang, emu gūsai emte iogi, emte beiguwan mederi jakarame anafu teme genehe.

喀爾喀巴噶達爾漢貝勒所屬四十人，率其婦孺步行逃來。初八日，二旗合遣副將一人，每旗遣遊擊各一人，備禦官各一人，前往沿海戍守。

喀尔喀巴噶达尔汉贝勒所属四十人，率其妇孺步行逃来。初八日，二旗合遣副将一人，每旗遣游击各一人，备御官各一人，前往沿海戍守。

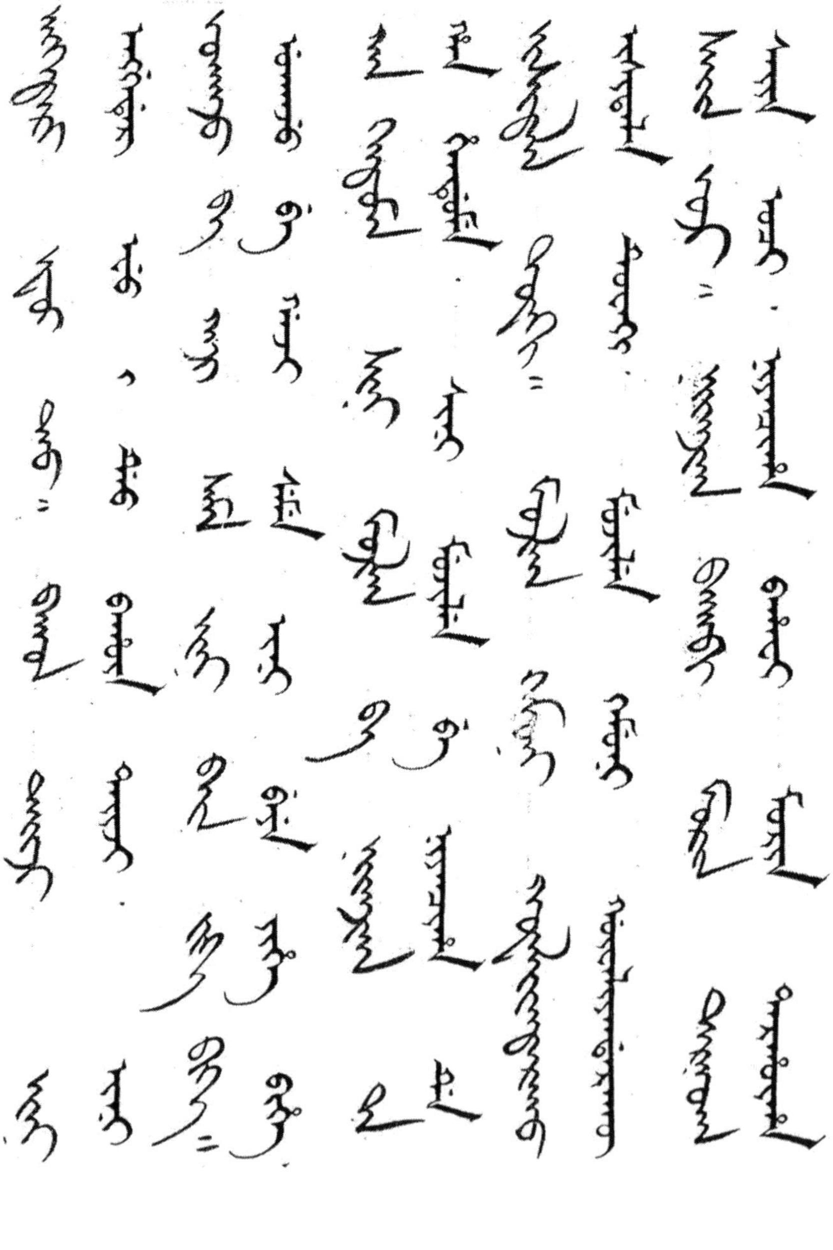

enggeder efu i deo bahūn taiji, ini ukanju be gaji seme ini
beye jihe bihe. han hendume, sini mujilen be niyanciha de
isitala tuwaki, mujilen kemuni gūwaliyandarakū sain oci,
niyanciha bahafi morin tarhūha

恩格德爾額駙之弟巴琿台吉親自前來索取其逃人。汗曰：
「至今觀察爾心至草青，若心仍良善不變，則以所得青草
牧馬肥壯後，

恩格德尔额驸之弟巴珲台吉亲自前来索取其逃人。汗曰：
「至今观察尔心至草青，若心仍良善不变，则以所得青草
牧马肥壮后，

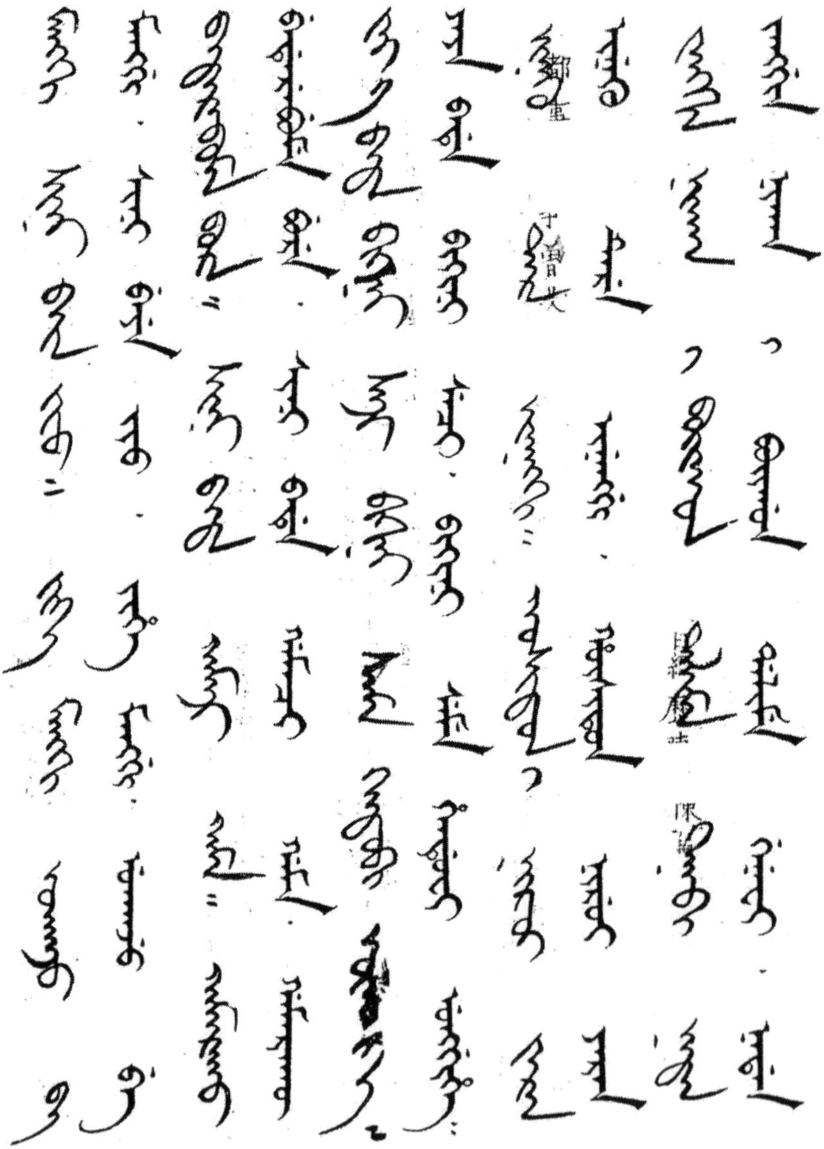

manggi, sini beye jio. jihe manggi, ukanju be bederebume
bure, sini bade gamaci gama, gamarakū yaya bade bikini seci,
bikini seme hendufi unggihe. ineku tere inenggi, hūsitun
nirui yaran janggin nikan i boigon dalime ganefi, nadan

爾再親自前來。來後給還逃人，若願攜回爾地則攜回，不
攜回，願留何處，則留之。」諭畢遣之。是日，胡希吞牛
彔雅蘭章京往收漢人戶口，

尔再亲自前来。来后给还逃人，若愿携回尔地则携回，不
携回，愿留何处，则留之。」谕毕遣之。是日，胡希吞牛
彔雅兰章京往收汉人户口，

boigon be werifi dehi yan menggun be gaifi, jakūn niyalmai emgi acan dendefi gajihabi. tere be šušalan, kūwaktaka donjifi jafahakū seme, šušalan be orin sunja yan i weile araha, kūwaktaka be ice niyalma seme

---

剩留七戶，索銀四十兩，與八人合分。舒沙蘭與夸克塔喀聞而未拏來，故罰舒沙蘭銀二十五兩，夸克塔喀因係新附之人，

剩留七户，索银四十两，与八人合分。舒沙兰与夸克塔喀闻而未拏来，故罚舒沙兰银二十五两，夸克塔喀因系新附之人，

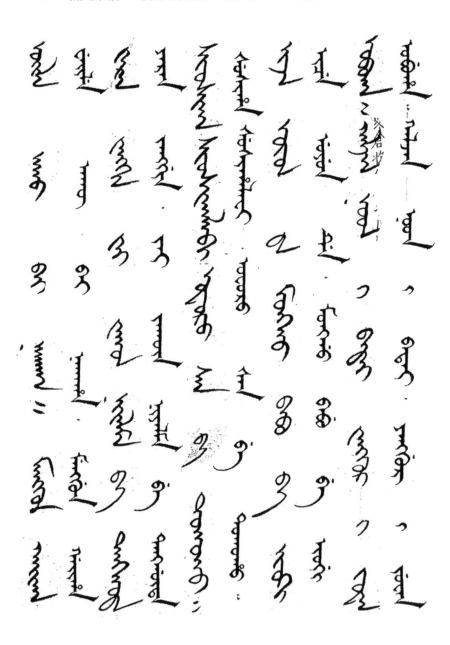

weile akū bai nakaha, menggun gaiha yaran janggin, jai
jakūn niyalma be tanggūta šusiha šusihalafi, oforo，šan be
tokoho. ice uyun de, monggo babu be iogi obuha. kaljan not
i batai, yanggur i juwan

而免其治罪；接受銀兩之雅蘭章京及其八人各鞭一百，刺
其耳、鼻。初九日，授蒙古巴布為遊擊。喀勒占諾特之巴
泰、揚古爾

而免其治罪；接受银兩之雅兰章京及其八人各鞭一百，刺
其耳、鼻。初九日，授蒙古巴布为游击。喀勒占诺特之巴
泰、扬古尔

duin morin, ilan tanggū nadanju ilan ihan, uyun tanggū dehi
honin, ere be tungginai, soosar ere juwe niyalma gaiha. horot
i bahatai, gu šan i juwan jakūn ihan, emu hehe urat i hajagai
gaiha. baising nirui saintu i

有馬十四匹、牛三百七十三頭、羊九百四十隻，被佟吉鼐、
騷薩爾二人所掠。和羅特之巴哈泰、顧山有牛十八頭、婦
女一人，被烏拉特之哈扎蓋所掠。拜興牛彔薩音圖

有马十四匹、牛三百七十三头、羊九百四十只，被佟吉鼐、
骚萨尔二人所掠。和罗特之巴哈泰、顾山有牛十八头、妇
女一人，被乌拉特之哈扎盖所掠。拜兴牛彔萨音图

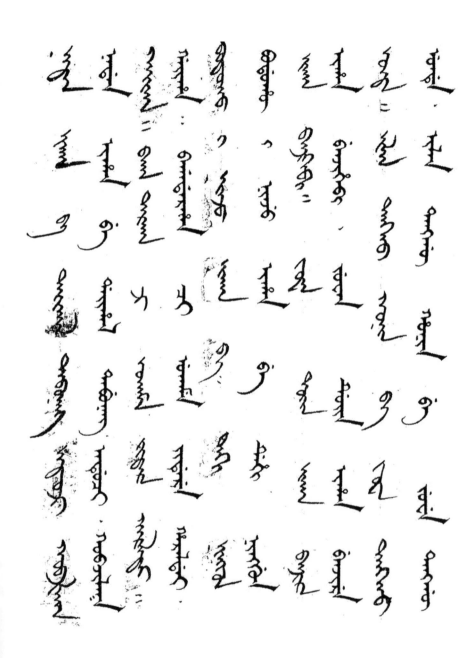

nadan ihan be daihal tabunang, aduci, kobjilak gaiha. bagadarhan ci ukame jidere haraldai, bodohū i ninju ihan be dehi ninggun ihan benjihebi, juwan duin ihan benjire unde, ilan tanggū honin be juwe tanggū

有牛七頭，被戴哈勒塔布囊、阿都齊、闊布吉拉克所掠。自巴噶達爾漢處逃來之哈喇勒岱、博多胡有牛六十頭，送來四十六頭牛，十四頭牛未曾送來；有羊三百隻，

有牛七头，被戴哈勒塔布囊、阿都齐、阔布吉拉克所掠。自巴噶达尔汉处逃来之哈喇勒岱、博德胡有牛六十头，送来四十六头牛，十四头牛未曾送来；有羊三百只，

jakūnju emu honin benjihebi, juwan uyun honin benjire unde,
ere be daihal tabunang gaihabi. juwan de, aohan dureng beile
i elcin be, fukatu beiguwan orin duin šanggiyan bayarai
niyalma be gaifi benehe. fusi efu, si uli

送來二百八十一隻羊，十九隻羊未曾送來，此皆被戴哈勒
塔布囊所掠。初十日，敖漢杜楞貝勒之使者還，富喀圖備
禦官率白巴牙喇二十四人送往。

送来二百八十一只羊，十九只羊未曾送来，此皆被戴哈勒
塔布囊所掠。初十日，敖汉杜楞贝勒之使者还，富喀图备
御官率白巴牙喇二十四人送往。

八、隱匿馬匹

efu usin icihiyame generengge amcafi gajiha. juwan emu de, yehe i asan i beiguwan i hergen be efulehe, abai age i iogi hergen be nakabufi beiguwan obuha. donggo efu de dzung bing guwan i hergen, hošotu de

追回前往辦理田畝事宜之撫順額駙、西烏里額駙。十一日，革葉赫阿山備禦官之職。革阿拜阿哥遊擊之職，降為備禦官。授棟鄂額駙以總兵官之職、

追回前往办理田亩事宜之抚顺额驸、西乌里额驸。十一日，革叶赫阿山备御官之职。革阿拜阿哥游击之职，降为备御官。授栋鄂额驸以总兵官之职、

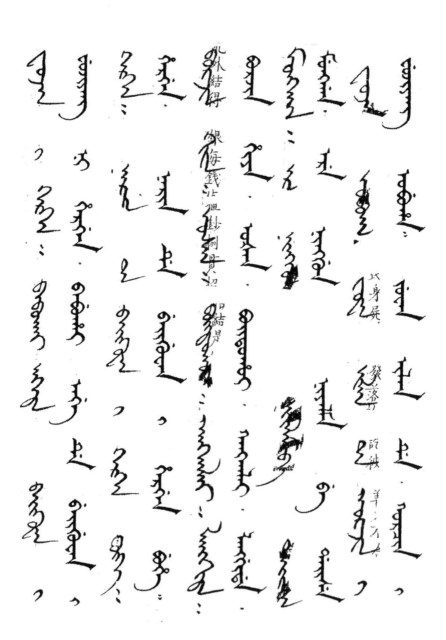

fujiyang ni hergen, babuhai age de beiguwan i hergen, narin
de beiguwan i hergen buhe. borjin hiya, ošan, boitohoi,
kangkalai, langgida, munggan ere ninggun niyalma be daise
fujiyang obuha. juwan ilan de, korcin i

和碩圖以副將之職、巴布海阿哥以備禦官之職、納林以備
禦官之職。授博爾晉侍衛、鄂善、貝托惠、康喀賴、郎濟
達、蒙安此六人為代理副將。十三日，

和硕图以副将之职、巴布海阿哥以备御官之职、纳林以备
御官之职。授博尔晋侍卫、鄂善、贝托惠、康喀赖、郎济
达、蒙安此六人为代理副将。十三日，

manggūs mafa i orin haha, uheri susai jakūn anggala, emu morin, dehi sunja ihan, orin honin gajime ukame jihe. unege baksi be uksin akū ajige jui de morin gaiha, aha bisire niyalma de dere banime sargan buhe,

---

科爾沁莽古斯老人之男丁二十人，共五十八口，攜馬一匹、牛四十五頭、羊二十隻逃來。烏訥格巴克什因向無甲幼童索馬，看情面私給有奴僕之人以妻室；

科尔沁莽古斯老人之男丁二十人，共五十八口，携马一匹、牛四十五头、羊二十只逃来。乌讷格巴克什因向无甲幼童索马，看情面私给有奴仆之人以妻室；

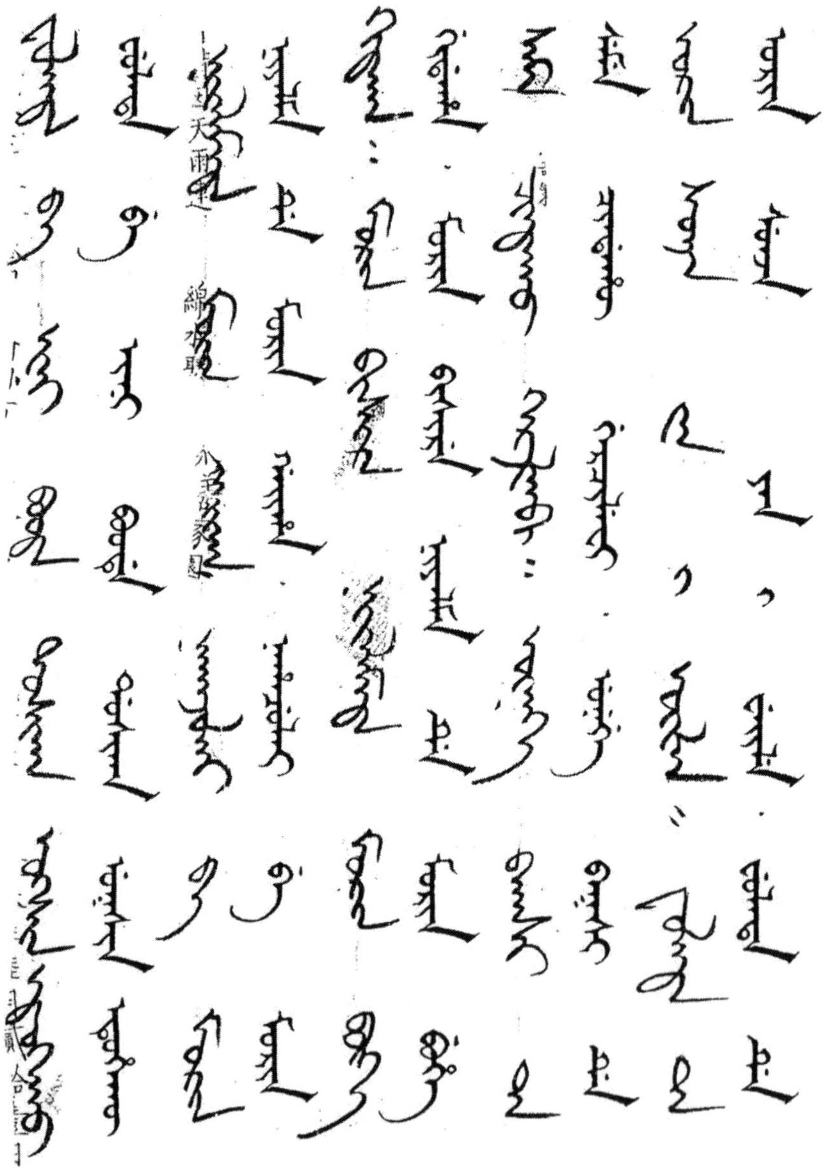

fulata be ini boode dosika uksin etuhekū niyalma de morin gaiha, nahaculai be morin gidaha, morin bisire niyalma de morin buhe seme cindahū gercilefi, unege baksi de orin sunja yan i weile, fulata de

---

富拉塔因向進入其家未披甲之人索馬；納哈楚賴因隱匿馬匹，以馬給與有馬之人，被秦達胡首告。罰烏訥格巴克什銀二十五兩，

富拉塔因向进入其家未披甲之人索马；纳哈楚赖因隐匿马匹，以马给与有马之人，被秦达胡首告。罚乌讷格巴克什银二十五两，

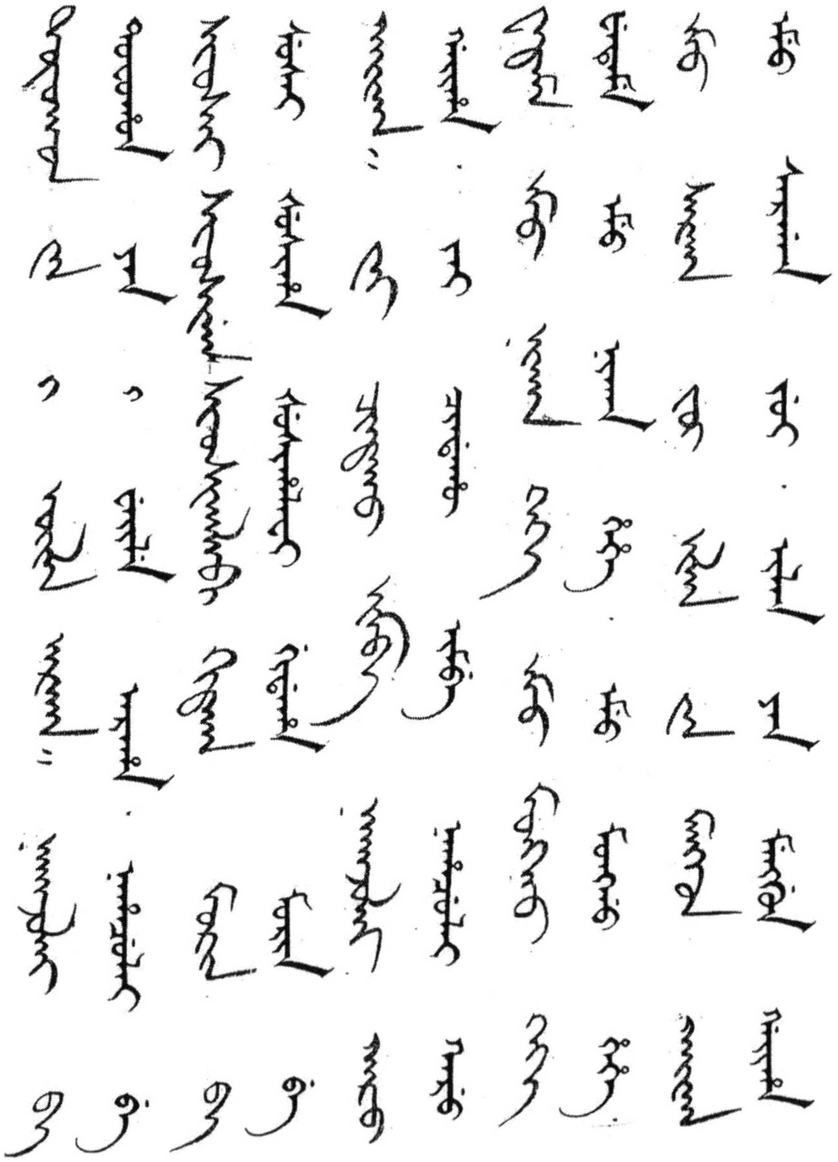

tofohon yan i weile araha, nahaculai be susai šusiha
šusihalafi gidaha morin be gaiha. jai cindahū imbe nahaculai
karu feteme emu nikan hehe, emu monggo hehe, emu sargan
jui, ilan yan menggun gaiha

罰富拉塔銀十五兩，納哈楚賴打五十鞭，沒收所匿之馬。
再者，納哈楚賴反揭秦達胡娶漢婦一人、蒙古婦一人、少
女一人，索銀三兩，

罚富拉塔银十五两，纳哈楚赖打五十鞭，没收所匿之马。
再者，纳哈楚赖反揭秦达胡娶汉妇一人、蒙古妇一人、少
女一人，索银三两，

九、更新條例

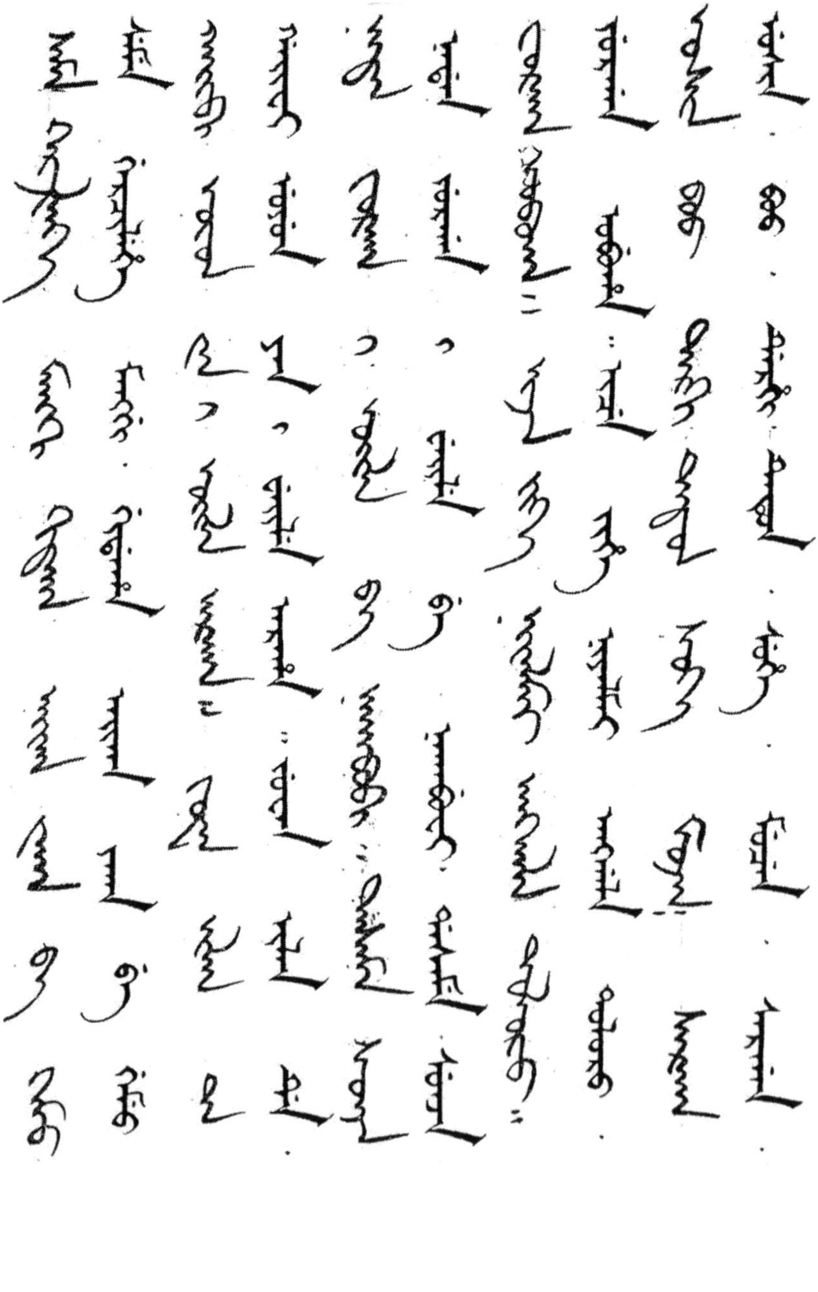

seme gercilehe manggi, gidaha aika jaka be gemu gaifi uyun yan i weile araha. juwan ilan de, nadan jurgan i weile be nakabufi, dasame sunja jurgan obuha. ice jihe niyalmai anggala toloro, usin, boo, derhi, tetun, suhe, mucen, sargan,

---

經首告後，遂盡沒所匿諸物，罰銀九兩。十三日，罷除七條之罪，更改為五條。查點新來人口，給以田、舍、蓆[12]、器、斧、鍋、妻、

经首告后，遂尽没所匿诸物，罚银九两。十三日，罢除七条之罪，更改为五条。查点新来人口，给以田、舍、席、器、斧、锅、妻、

---

[12] 蓆，《滿文原檔》寫作 "tarki"，《滿文老檔》讀作 "derhi"。按滿文 "derhi"係蒙文"derki"借詞，意即「蓆子」。

aha, etuku, aika jaka be bure, boo arabure, ku i jeku be ejeme gaijara, salame bure, ere emu jurgan i weile. karun, tai, poo miyoocan, songko, mama, juse hehesi tokso de geneci fonjire, ukanju, ere emu jurgan i weile. jafaha

---

奴、衣諸物，令其築屋，登記領取及散給庫糧，此一條也。巡查卡倫、臺站、鎗礮、踪跡，及赴各屯查詢老嫗、婦孺、逃人，此一條也。

奴、衣诸物，令其筑屋，登记领取及散给库粮，此一条也。巡查卡伦、台站、鎗炮、踪迹，及赴各屯查询老妪、妇孺、逃人，此一条也。

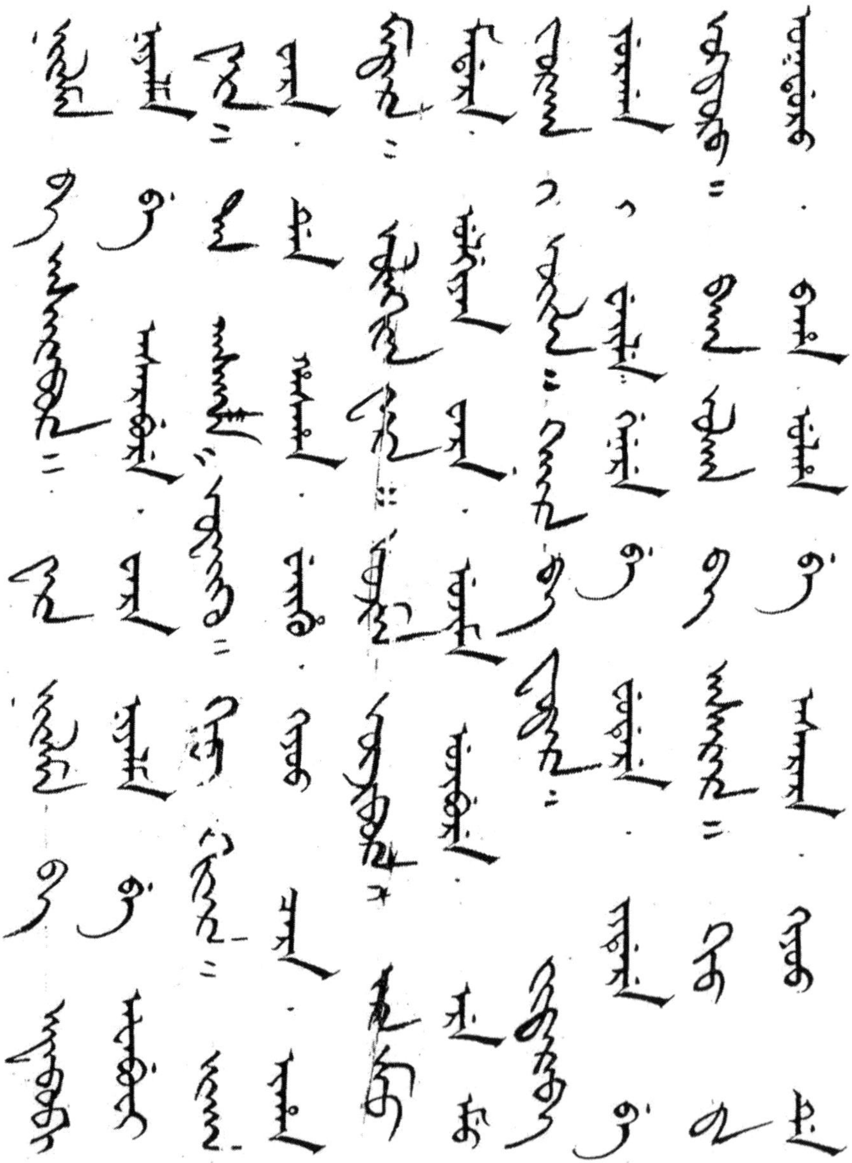

niyalma be asarabure, wara niyalma be afabufi wara, den hashan, weihu, kiyoo cara, ihan madara, ulgiyan wara, ujima ujibure, ere emu jurgan i weile. genere be fudere, jidere be okdoro, baha ulha be asarara, kiyoo de

羈押擒獲之人，刑戮應殺之人。築高木柵，造舟船，架橋樑，繁殖牛隻，殺豬，飼養牲畜，此一條也。送往迎來，收養所獲牲畜，

羈押擒獲之人，刑戮应杀之人。筑高木栅，造舟船，架桥梁，繁殖牛只，杀猪，饲养牲畜，此一条也。送往迎来，收养所获牲畜，

hūdašabure cifun, giyai ehe nantuhūn be icihiyabure, tule genere horho tuwara, bucehe niyalma be waliyara, hūdun mejige, sarin sarilara, ere emu jurgan i weile. uksin, saca, loho, gida, beri, sirdan, enggemu, hadala, nemerhen,

---

於橋頭徵收交易稅，清理街道污穢，查看茅廁，祭奠亡者，傳遞信息，安排筵宴，此一條也。甲、盔、刀、槍、弓、矢、鞍、轡、簑衣、

于桥头征收交易税，清理街道污秽，查看茅厕，祭奠亡者，传递信息，安排筵宴，此一条也。甲、盔、刀、枪、弓、矢、鞍、辔、蓑衣、

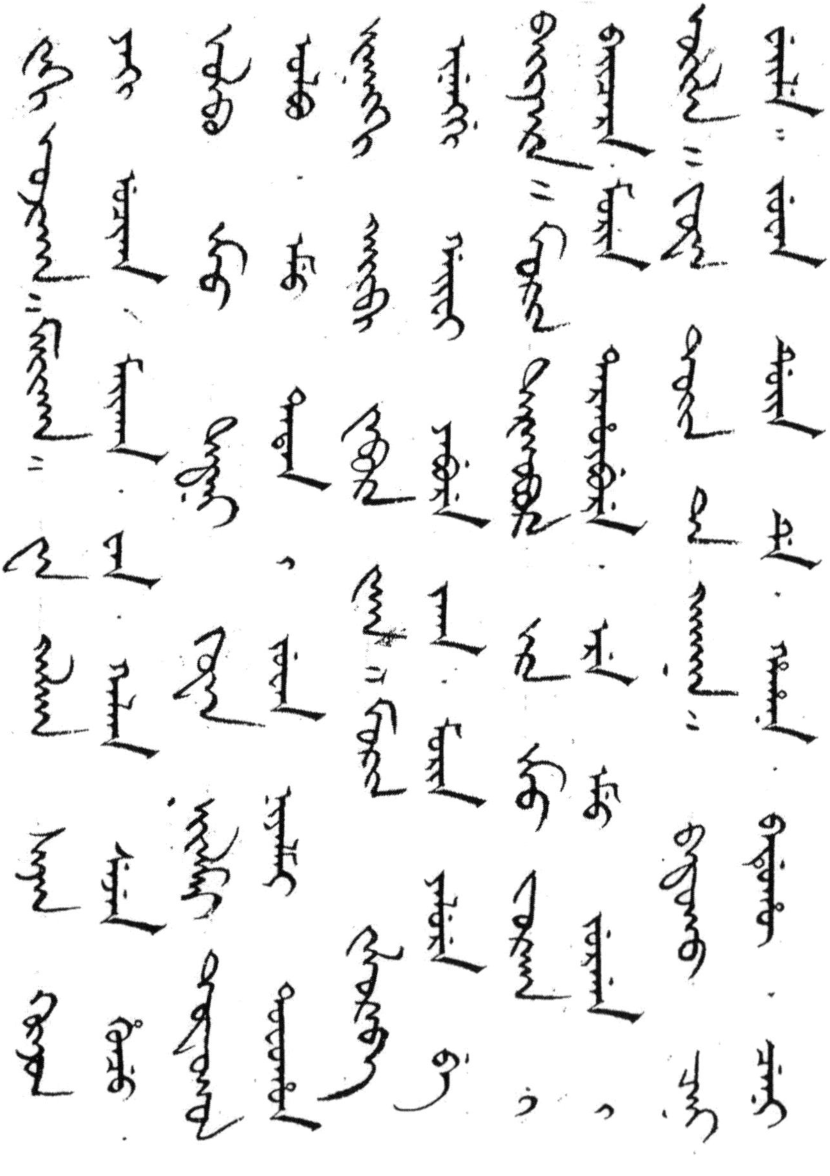

yaki, ucika, maikan, wan, kalka, sejen, huncu, olbo, emu tatan i juwan niyalmai tofohon inenggi gaifi yabure jaka, morin yalure be baicara, morin tarhūbure, ere emu jurgan i weile. juwan duin de, hahana, baduhū, ceni

---

箭罩、弓罩、帳房、梯子、楯牌、車輛、拖床、綿甲、每窩十人所帶十五日行走之物、察看騎馬、養肥馬匹，此一條也。十四日，復審哈哈納、巴都虎案，

箭罩、弓罩、账房、梯子、楯牌、车辆、拖床、绵甲、每窝十人所带十五日行走之物、察看骑马、养肥马匹，此一条也。十四日，复审哈哈纳、巴都虎案，

十、交錯運糧

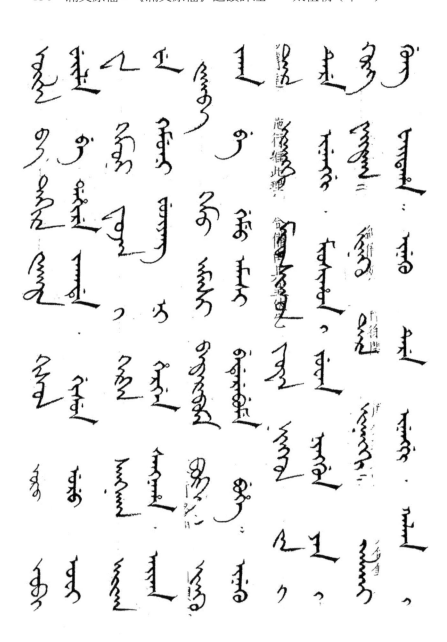

weile be dahire jakade, gisun uru ofi fe kemuni fujiyang ni hergen šangnaha, aika jaka be gemu amasi bederebume buhe. ineku tere inenggi, miosihon i juwan ninggun yan i gung faitaha. ineku tere inenggi, kalka i

---

因所言屬實，故仍賞副將之職，所沒收諸物皆歸還。是日，銷繆希渾銀十六兩之功。是日，

因所言属实，故仍赏副将之职，所没收诸物皆归还。是日，销缪希浑银十六两之功。是日，

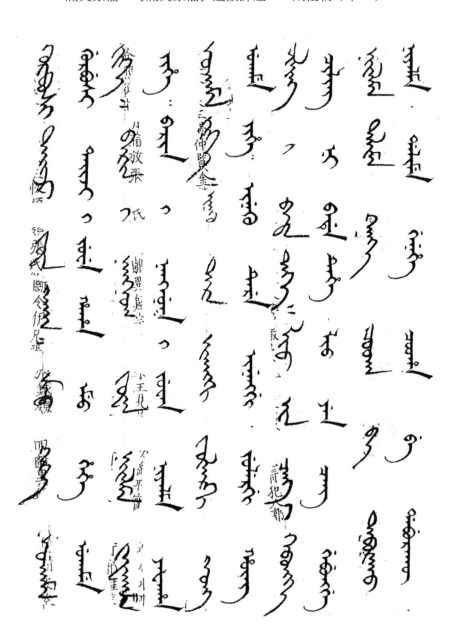

gurbusi taiji i juwe haha, emu hehe ukame jihe. barin i
nangnuk i juwan niyalma yafahan ukame jihe. ineku tere
inenggi, julergi hūng ciling i bade tehe lio yen cang
gebungge niyalma, dalime genehe cooha be daburakū,

喀爾喀固爾布什台吉屬下男二人、女一人逃來。巴林囊努
克屬下十人步行逃來。是日，住南紅旗嶺地方名劉蔭昌
者，未經前往之兵驅趕，

喀尔喀固尔布什台吉属下男二人、女一人逃来。巴林囊努
克属下十人步行逃来。是日，住南红旗岭地方名刘荫昌者，
未经前往之兵驱赶，

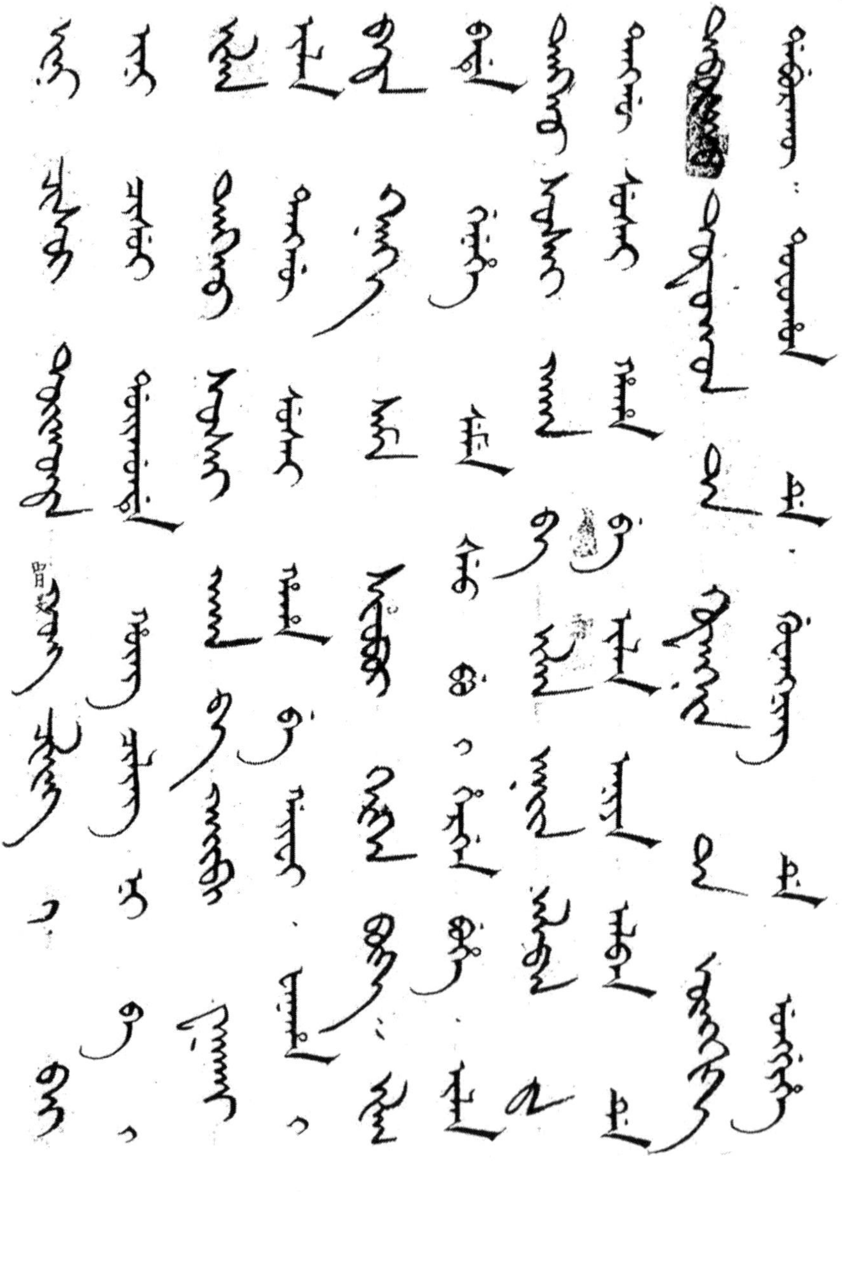

ini cisui doigonde hūng ciling ni ba i ilan tanggū susai haha be gaifi, fanaha i bade genehe seme šeo pu i hergen buhe, ilan tanggū susai haha be ilan aniya alban de daburakū. tofohon de, guwangning de unggihe

身先率領紅旗嶺地方男丁三百五十人，前往法哈納地方，故賜以守堡之職，男丁三百五十人免三年賦役[13]。十五日，致書廣寧曰：

身先率领红旗岭地方男丁三百五十人，前往法哈纳地方，故赐以守堡之职，男丁三百五十人免三年赋役。十五日，致书广宁曰：

---

[13] 免三年賦役，句中「免」，《滿文原檔》寫作 "taborako"，《滿文老檔》讀作 "daburakū"，意即「不算入」。

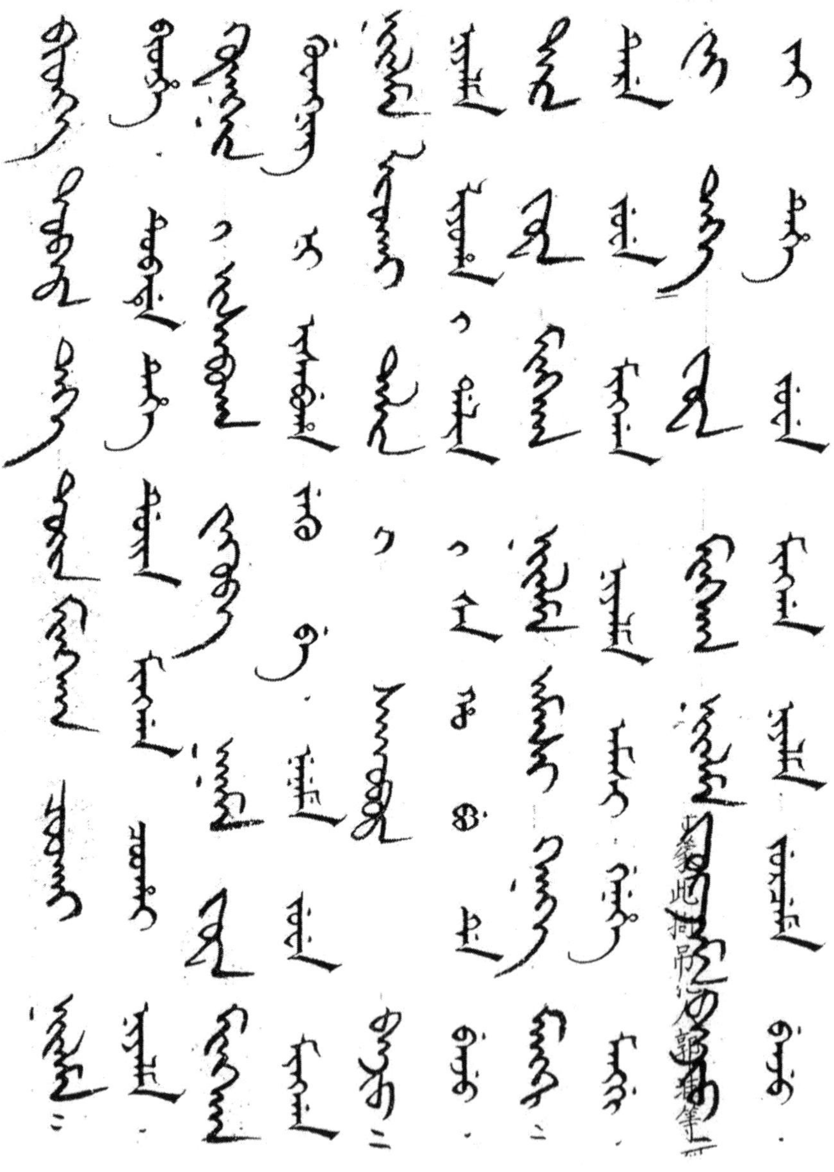

bithe, tubade tehe duin minggan coohai niyalma, guwangning ni isabuha jeku be, neneme juwe minggan niyalma liyoha i dalin i ša ho pu de benju. tere juwe minggan niyalma amasi genehe manggi, jai tehe juwe minggan niyalma jurceme benju.

「駐彼處之兵丁四千人，先以二千人將廣寧儲糧送至遼河岸之沙河堡。俟該二千人返回後，再以所駐另二千人交錯運送。

「驻彼处之兵丁四千人，先以二千人将广宁储粮送至辽河岸之沙河堡。俟该二千人返回后，再以所驻另二千人交错运送。

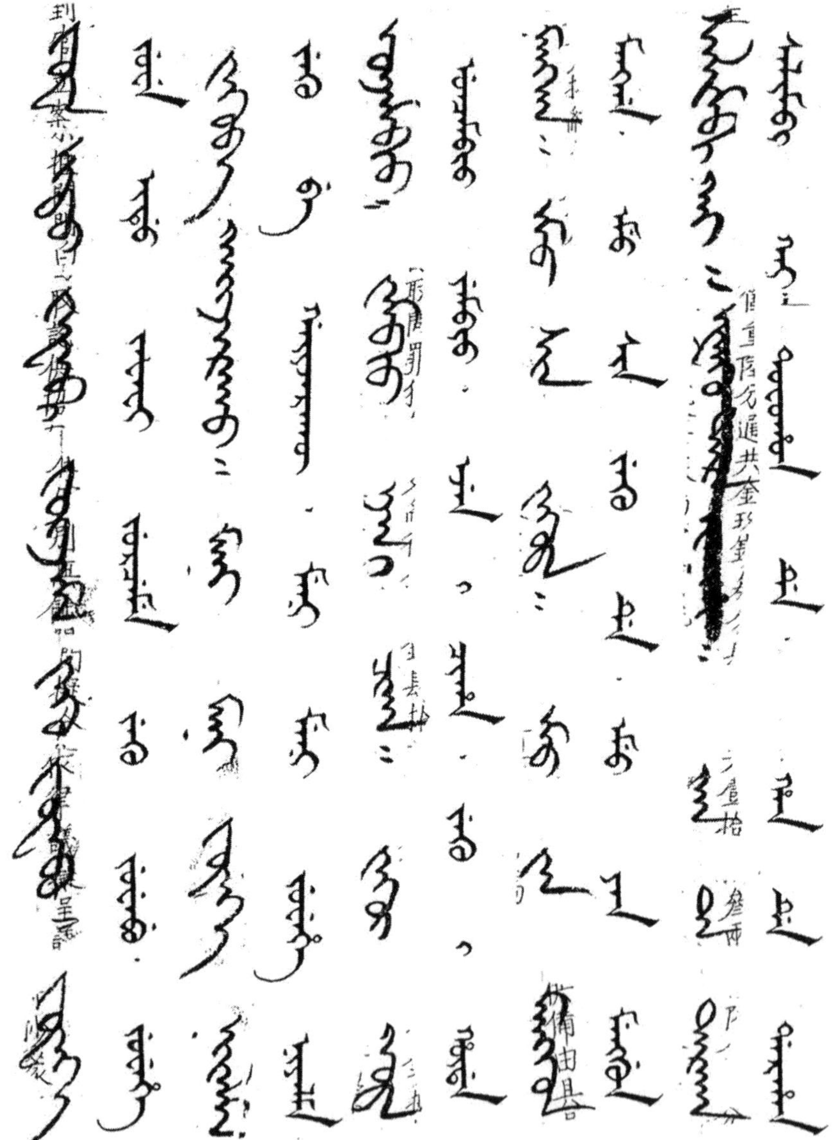

[Manchu script text - 6 columns, read right to left]

juwe idu jafafi jurceme jeku juwebu. juwehe jeku be
gaijarakū, meni meni juwehe niyalma uncambio jembio, ejen
i ciha, jeku i hūda mangga, emu sin jeku de, emu yan
menggun salimbi kai. tofohon de, han de darhan

如此分為兩班，交錯運糧。不取所運之糧，各運糧之人，
或販售，或食用，則聽其主子之便。糧價昂貴，每金斗糧
值銀一兩也。」十五日，

如此分为两班，交错运粮。不取所运之粮，各运粮之人，
或贩卖，或食用，则听其主子之便。粮价昂贵，每金斗粮
值银一两也。」十五日，

十一、痛自悔咎

hiya i wesimbuhe bithe, han ama, juwan duin se de ujihe,
umai weile bahakū, liyoodung de jihe ci ebsi, han ama, geren
deote i afabuha jurgan be tondoi akūmbuhakū, mini mujilen
gūwaliyaka turgunde, mini

達爾漢侍衛具文奏於汗曰：「自十四歲，始受汗父養育，
未嘗獲罪。來到遼東以後，未能盡忠効力於汗父及衆兄弟
所交付之事[14]。因我心改變，

达尔汉侍卫具文奏于汗曰：「自十四岁，始受汗父养育，
未尝获罪。来到辽东以后，未能尽忠効力于汗父及众兄弟
所交付之事。因我心改变，

---

[14] 交付之事，《滿文原檔》寫作 "awaboka jorkan"，《滿文老檔》讀
作 "afabuha jurgan"，意即「交付行伍之事」。按句中 "jurgan"，
係舊清語，意同 "meyen"（行伍）。

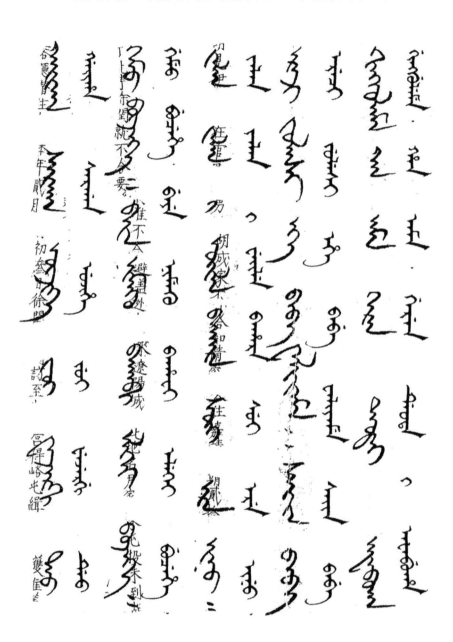

gaiha sargan, ujihe jui, fejergi deo gemu bucehe, beye nimeku bahafi elekei bucehe, jalan jalan i weile bahara sui ere inu. ereci julesi ehe babe waliyame, sain babe gingguleme, han ama, geren deote i afabuha

---

以致我所娶之妻、所生之子、末弟皆亡，我自身亦患病幾死，此乃所獲累世之罪也。從今以後，當棄惡從善，敬謹將汗父、眾兄弟所交付之事，

以致我所娶之妻、所生之子、末弟皆亡，我自身亦患病几死，此乃所获累世之罪也。从今以后，当弃恶从善，敬谨将汗父、众兄弟所交付之事，

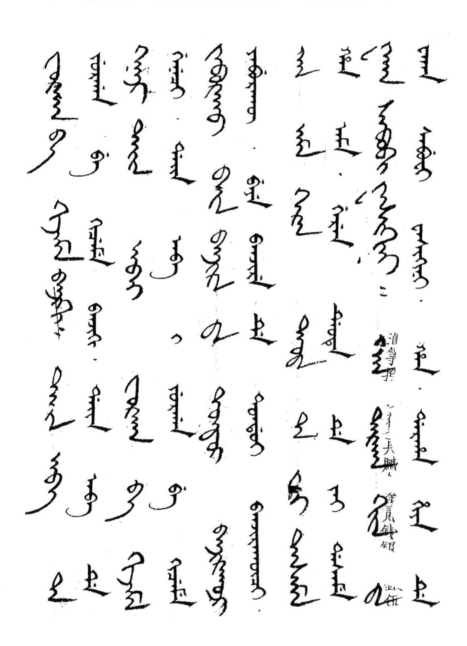

jurgan be kiceme banjiki. dain aba de geneci, dain aba i jurgan be kiceme yaburakū, beye banjire de tondoi banjirakūci, han ama, geren deote de jai dasame waka sabufi wasikini. han darhan hiya de

---

勉力為之。倘若赴陣行圍時，不勤於赴陣行圍，自身居家度日操守不正，復見罪於汗父及眾兄弟，則即罷黜。」

勉力为之。倘若赴阵行围时，不勤于赴阵行围，自身居家度日操守不正，复见罪于汗父及众兄弟，则即罢黜。」

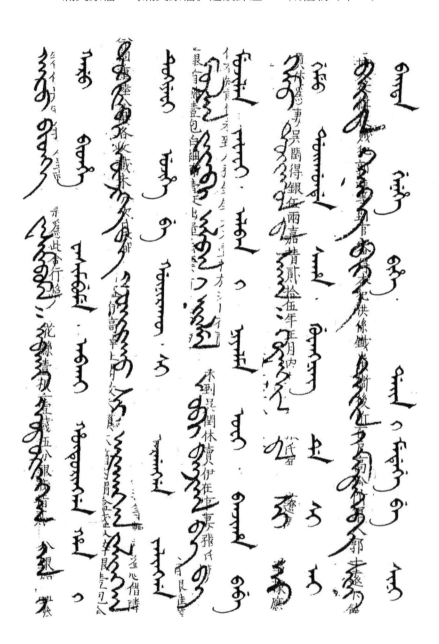

karu bithe wasimbume, abkai hūturingga han i tukiyefi ujihe
be gūnirakū, si argangga jalingga mujilen jafafi, alban i
niyalma ofi, banjiha babe gemu doigonde saha. guwangning
de si ai baita genehe bihe. dain i medege be sini

汗父頒書回復達爾漢侍衛曰：「爾不念天福之汗舉用豢養
之恩，爾居心奸詐，身為官人，所作所為，皆預先知之。
爾曾為何事前往廣寧？為何聞有戰事信息，

汗父颁书回复达尔汉侍卫曰：「尔不念天福之汗举用豢养
之恩，尔居心奸诈，身为官人，所作所为，皆预先知之。
尔曾为何事前往广宁？为何闻有战事信息，

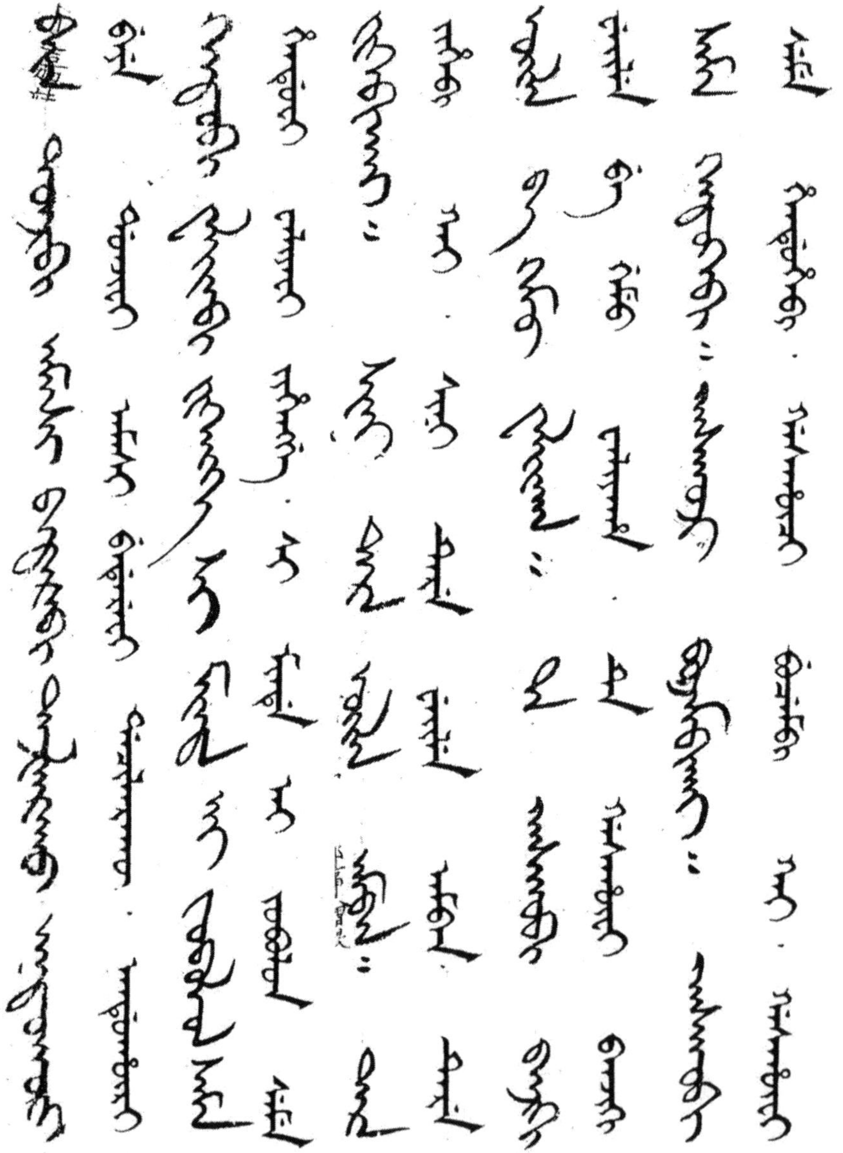

beye donjifi amasi bederefi dacilarakū, anduhūri hendufi waliyafi jihengge, si minde ai jobolon seme jihebi kai. sini tere weile amban, tere weile be gemu waliyaha, te gashūfi banjiki seme henduhebi, gashūci bucembi kai. gashūfi

即行退回？不聞不問，言詞冷淡，棄之而歸，爾欲置我於何禍患耶？爾之罪重大，然皆免除其罪。如今又欲起誓，起誓則死也，

即行退回？不闻不问，言词冷淡，弃之而归，尔欲置我于何祸患耶？尔之罪重大，然皆免除其罪。如今又欲起誓，起誓则死也，

ainambi. hada, yehe, ula, hoifa i beise, fusi, niowanggiyaha, keyen, cilin, simiyan, liyoodung, guwangning ni hafasa, gemu abkai sindafi gurun ejelehe niyalma wakao. tese be mini manggai efulehengge waka, abka minde dafi, tere encu gurun i

---

誓之何為？哈達、葉赫、烏拉、輝發之諸貝勒及撫順、清河、開原、鐵嶺、瀋陽、遼東、廣寧之眾官員，皆非上天所授掌管國事之人耶？伊等非我之力所能破者，乃皇天助我，

誓之何为？哈达、叶赫、乌拉、辉发之诸贝勒及抚顺、清河、开原、铁岭、沈阳、辽东、广宁之众官员，皆非上天所授掌管国事之人耶？伊等非我之力所能破者，乃皇天助我，

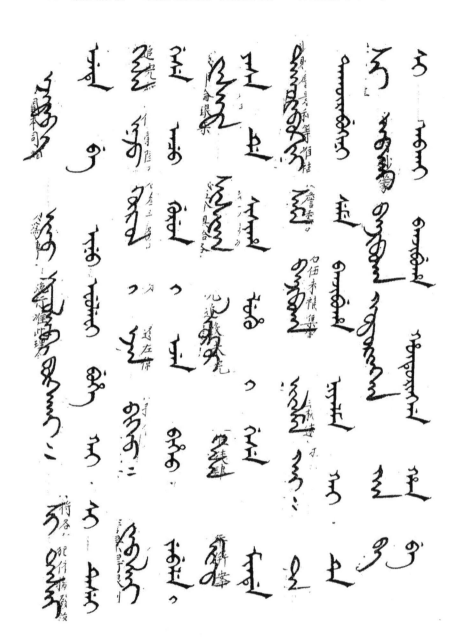

ejete be inu efulefi buhe kai. si tesei gese encu gurun i ejen biheo. jebele i yasa de sisiha luhu i gese minde takūrabukini seme banjibuha niyalma kai. te si abkai banjibuha hūturingga han be,

---

破其各異國之主後授與我也。爾似伊等異國之主乎？乃如插入撒袋眼之無鏃頭箭[15]，供我差使而生之人也。今爾之所謂不使天生福汗

破其各异国之主后授与我也。尔似伊等异国之主乎？乃如插入撒袋眼之无镞头箭，供我差使而生之人也。今尔之所谓不使天生福汗

---

[15] 無鏃頭箭，《滿文原檔》寫作"lükü"，《滿文老檔》讀作"luhu"，意即「墩子箭」。

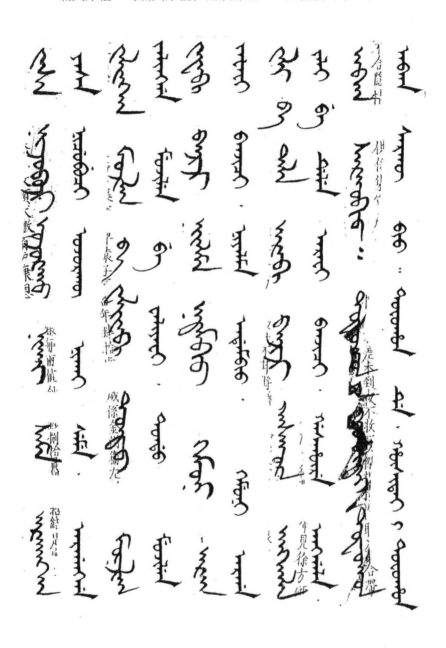

yasa nicubuci ojorakū nikai seme, argangga jalingga mujilen
be waliyafi, tondo mujilen jafafi banjici, niyalma endembio.
kemuni arga jali be dele arafi banjici, gashūre anggala, abka
sarkū bio. tofohon de, hūsitai i tofohon

閉眼塞聽，棄奸詐之心，存公忠之心，乃欺人之談乎？倘
若仍以奸詐為尚，即便盟誓，天豈不知乎？」十五日，

闭眼塞听，弃奸诈之心，存公忠之心，乃欺人之谈乎？倘
若仍以奸诈为尚，即便盟誓，天岂不知乎？」十五日，

十二、賞罰分明

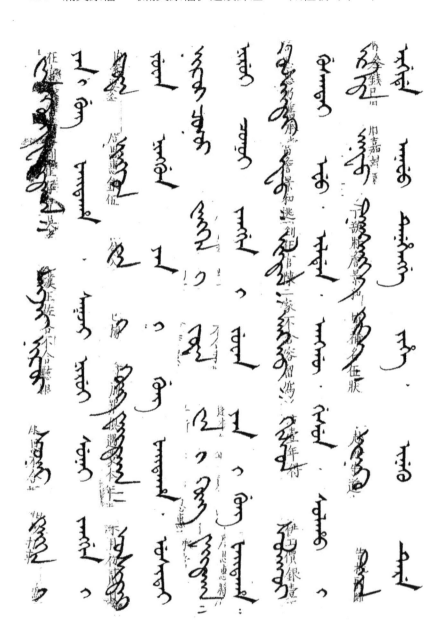

yan i gung faitaha, sakjai nirui sunai janggin i juwan ninggun yan i gung faitaha, usitai nirui conoi janggin i juwan yan i gung faitaha. gusantai efu, ilden, anggū, gisun, solho i ergide anafu tenehengge jihe. ineku tere

銷胡希泰功銀十五兩、薩克齋牛彔下蘇鼐章京功銀十六兩、烏什泰牛彔下綽諾依功銀十兩。前往戍守朝鮮邊界之顧三泰額駙、伊勒登、昂古、吉蓀等人歸。

销胡希泰功银十五两、萨克斋牛彔下苏鼐章京功银十六两、乌什泰牛彔下绰诺依功银十两。前往戍守朝鲜边界之顾三泰额驸、伊勒登、昂古、吉荪等人归。

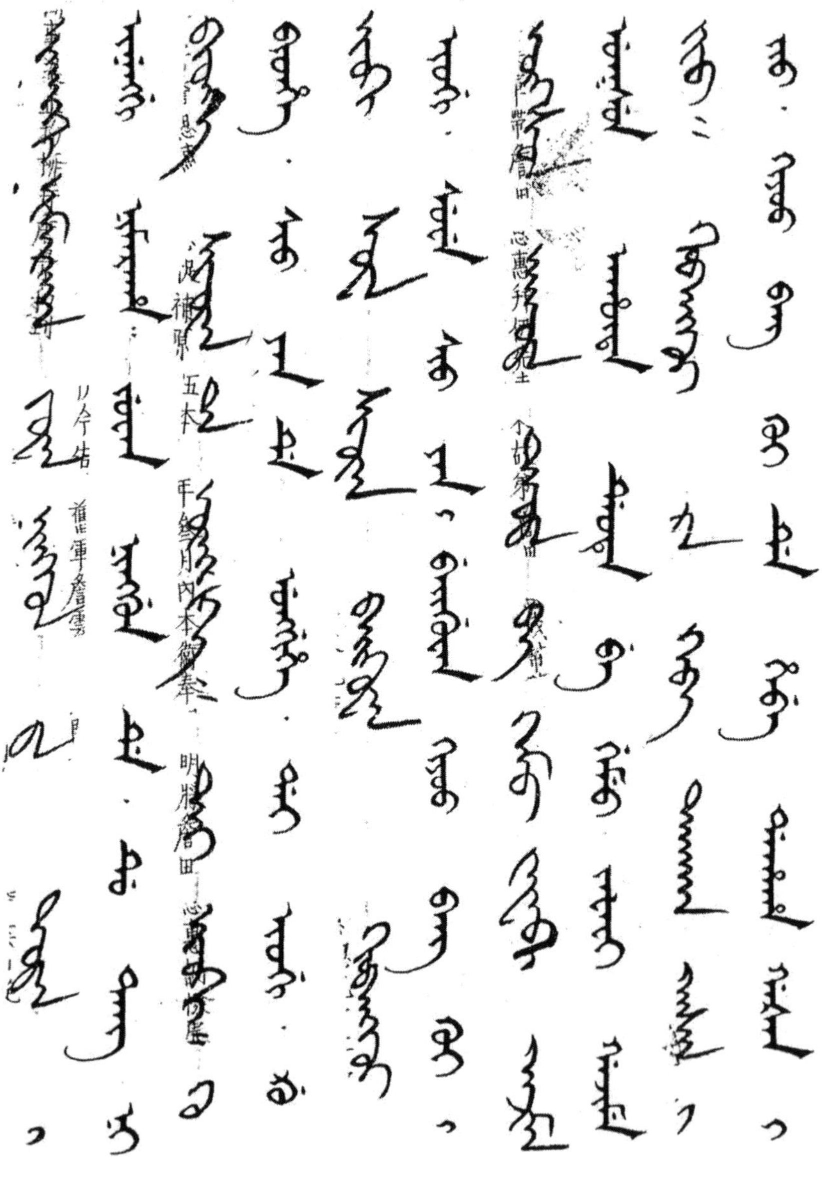

inenggi nimaraha. juwan ninggun de, du tang ni bithe sio yan de unggihe, dai iogi g'o iogi suwe sio yan i beiguwan kiyoo bang kui i uksun ahūta deote be gemu jafafi gajime jio. kiyoo bang kui de hebe dahaha gašan i

是日，降雪。十六日，都堂致書岫巖曰：「戴遊擊、郭遊擊，著爾等將岫巖備禦官喬邦魁之宗族兄弟皆擒拏解來，與喬邦魁同謀之屯人

是日，降雪。十六日，都堂致书岫岩曰：「戴游击、郭游击，着尔等将岫岩备御官乔邦魁之宗族兄弟皆擒拏解来，与乔邦魁同谋之屯人

niyalma be, kiyoo bang kui genefi deduhe tai niyalma be, gemu jafafi gajime jio. juwan nadan de, baduhū fujiyang, kangkalai fujiyang, tainju fujiyang, asidarhan ts'anjiyang emu nirui juwete uksin i niyalma be gaifi

以及留喬邦魁住宿之臺人，皆擒拏解來。」十七日，巴都虎副將、康喀賴副將、泰音珠副將、阿希達爾漢參將率每牛彔披甲各二人，

以及留乔邦魁住宿之台人，皆擒拏解来。」十七日，巴都虎副将、康喀赖副将、泰音珠副将、阿希达尔汉参将率每牛彔披甲各二人，

solho i ergide anafu teme genehe. juwan jakūn de, baduri fujiyang ni hergen be wesibufi dzung bing guwan obuha. sirin, ubahai, iogi hergen be nakabufi beiguwan obuha. obohoi beiguwan be hontoho beiguwan obuha.

前往戍守朝鮮邊界。十八日，陞巴都里副將之職為總兵官。革錫林、烏巴海遊擊之職降為備禦官。鄂伯惠備禦官降為半份備禦官。

前往戍守朝鮮边界。十八日，升巴都里副将之职为总兵官。革锡林、乌巴海游击之职降为备御官。鄂伯惠备御官降为半份备御官。

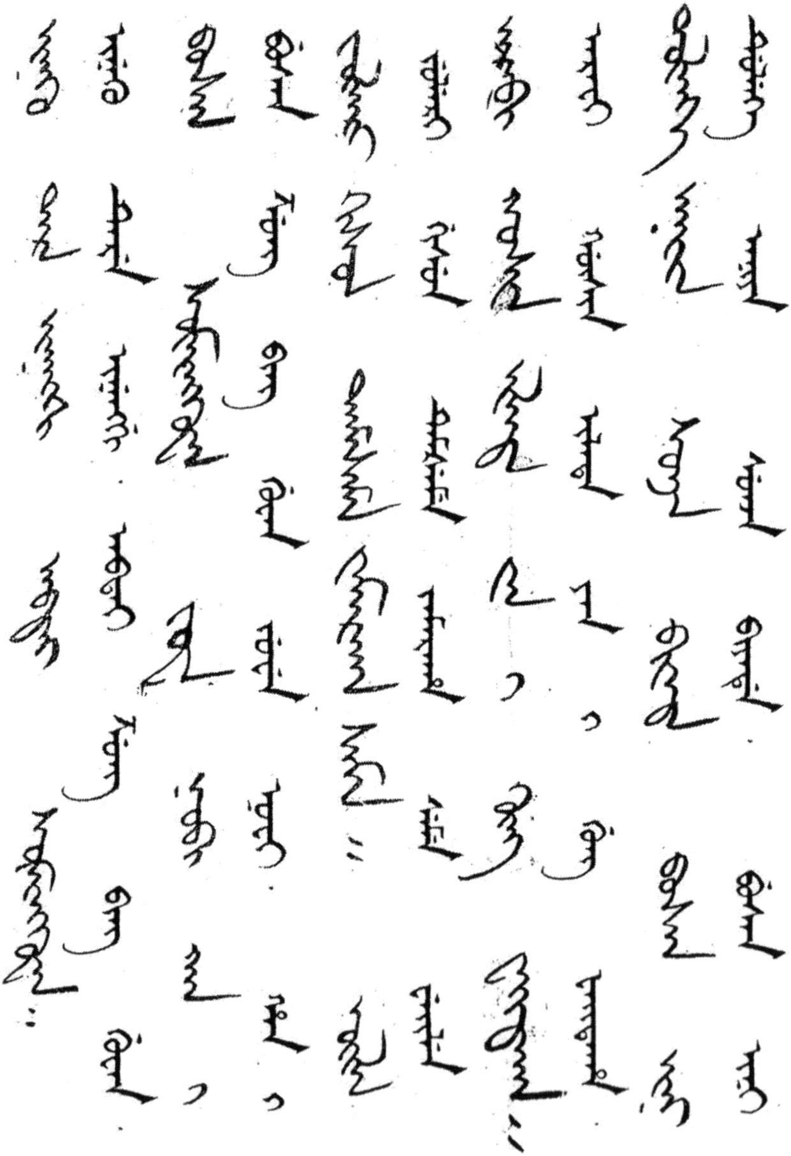

ineku tere inenggi, abtai dzung bing guwan, busan dzung bing guwan juwe nofi, han i juleri gisun temšeme jamaraha seme weile arafi, gūsin ilata yan i gung faitaha. duleke aniya sunja biyade, busan ini

是日，阿布泰總兵官、布三總兵官二人，曾因於汗前爭吵，被治以罪，銷功銀各三十三兩。去年五月，

是日，阿布泰总兵官、布三总兵官二人，曾因于汗前争吵，被治以罪，销功银各三十三两。去年五月，

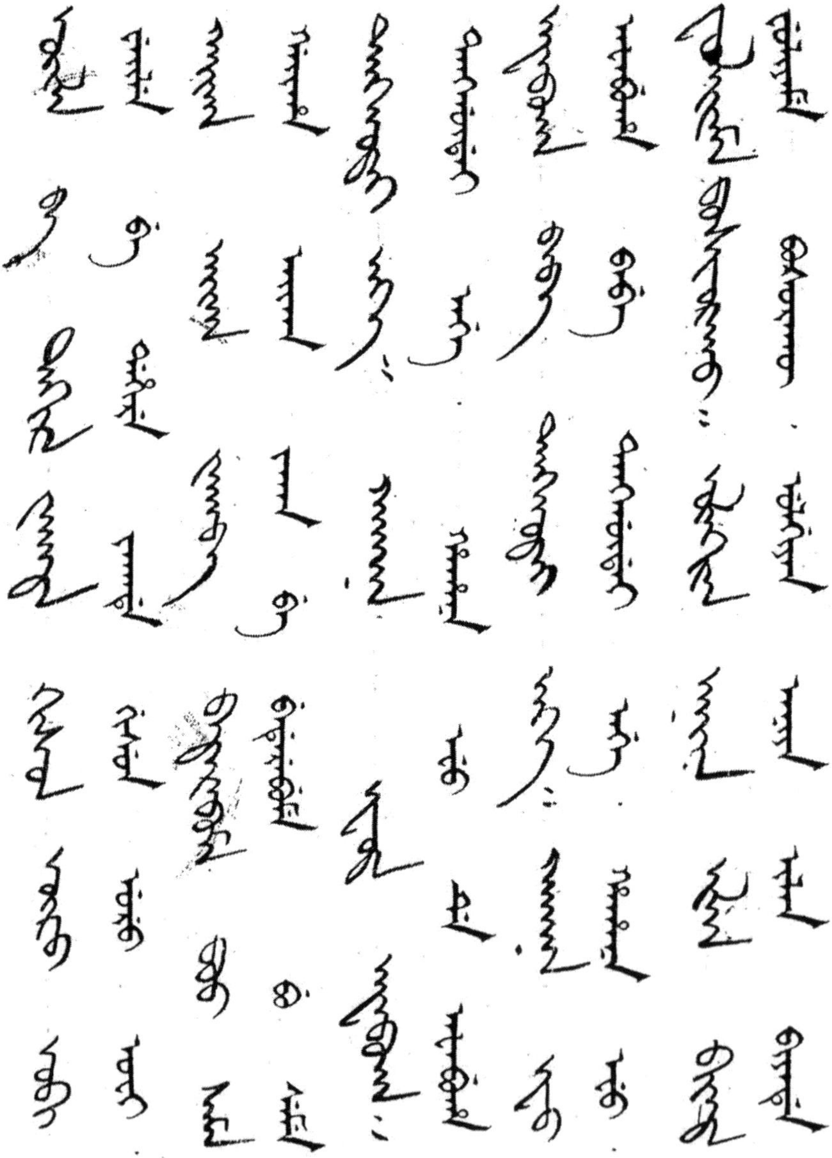

weile be dahire jakade, gisun uru ofi, gaiha aika jaka be bederebume bu seme tanggūdai age, hahana efu de afabuha. afabuha babe tanggūdai age, hahana efu fuliyame bošorakū, ulgiyan aniya ilan biyade

---

復審布三案，因所言屬實，命將所沒收諸物給還之，並交付湯古岱阿哥、哈哈納額駙辦理。因湯古岱阿哥、哈哈納額駙不催辦所交付之事，拖延至亥年三月，

复审布三案，因所言属实，命将所没收诸物给还之，并交付汤古岱阿哥、哈哈纳额驸办理。因汤古岱阿哥、哈哈纳额驸不催办所交付之事，拖延至亥年三月，

isibuha seme, tanggūdai age i dzung bing guwan i hergen be efulefi uju jergi ts'anjiyang obuha, hahana fujiyang ni hergen be efulefi uju jergi iogi obuha, gūsita yan i weile araha. juwan uyun de, wang dzung šeng beiguwan be

故革湯古岱阿哥總兵官之職，降為頭等參將；革哈哈納副將之職，降為頭等遊擊，並罰銀各三十兩。十九日，遣王宗升備禦官

故革汤古岱阿哥总兵官之职，降为头等参将；革哈哈纳副将之职，降为头等游击，并罚银各三十两。十九日，遣王宗升备御官

十三、同耕同食

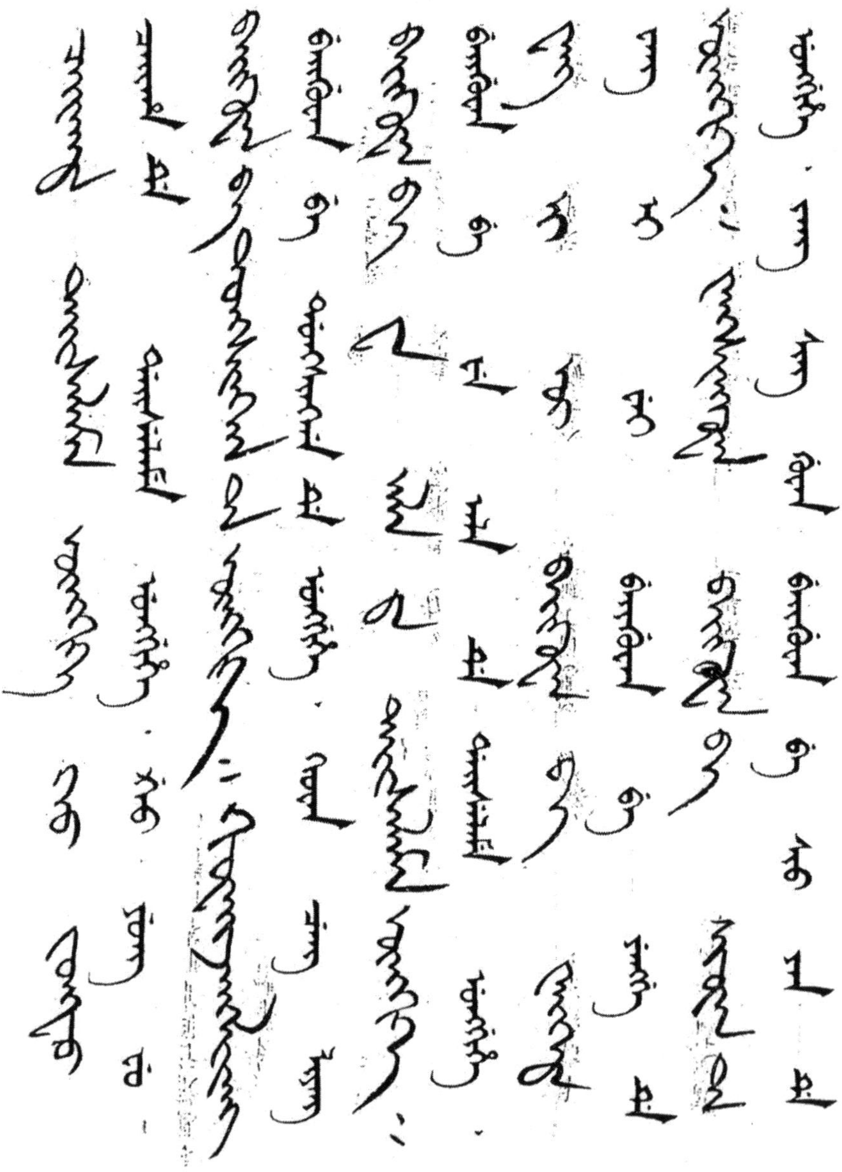

caiha de daiselame unggihe. g'ao yung fu beiguwan be
dongsingga de unggihe, kiowan ceng liyang beiguwan be, fe
ala de daiselame unggihe. wang i wei beiguwan be yengge
de unggihe, jang sing guwan beiguwan be sio yan de

往柴河署理，遣高永福備禦官往棟興阿、權成良備禦官往
費阿拉署理；遣王義衛往英額、張興觀備禦官往岫巖、

往柴河署理，遣高永福备御官往栋兴阿、权成良备御官往
费阿拉署理；遣王义卫往英额、张兴观备御官往岫岩、

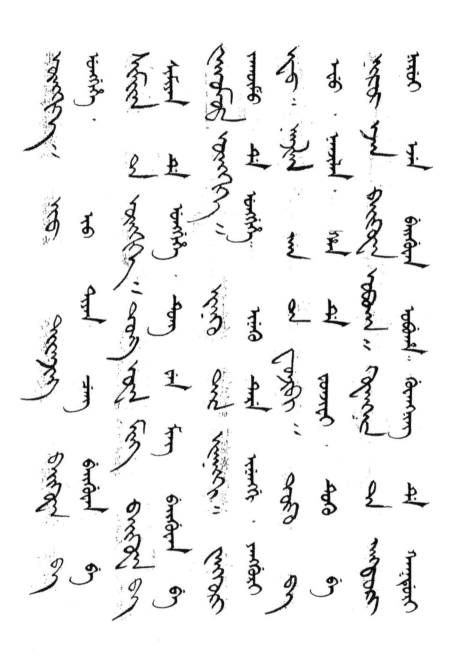

unggihe, io tiyan ceng beiguwan be simiyan de unggihe, tung wen ming beiguwan be jakūmu de unggihe. ineku tere inenggi, yangguri efu, nanjilan han de fonjifi, tuku be nirui ejen beiguwan obuha. guwangning de kakduri

遣尤天成備禦官往瀋陽，遣佟文明備禦官往扎庫穆署理。是日，揚古利額駙、南吉蘭請示於汗，授圖庫為牛彔額真備禦官。

遣尤天成备御官往沈阳，遣佟文明备御官往扎库穆署理。是日，扬古利额驸、南吉兰请示于汗，授图库为牛彔额真备御官。

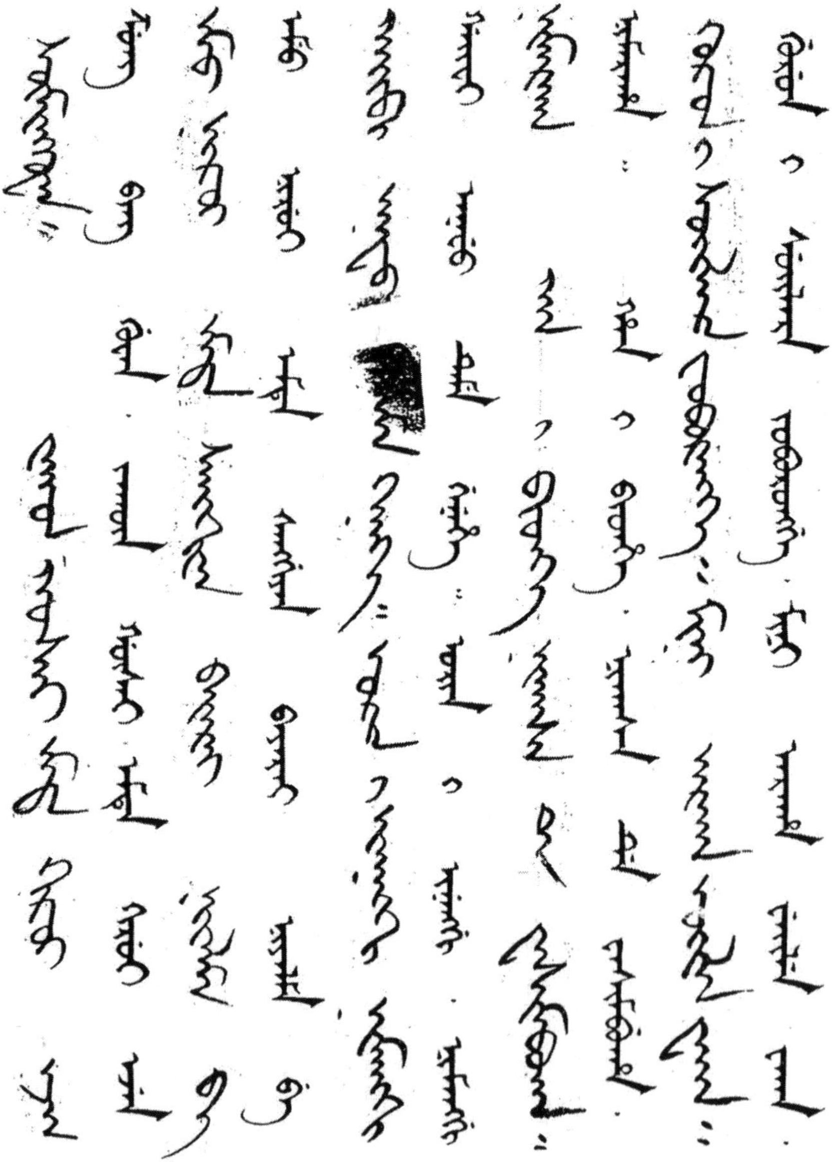

dzung bing guwan, jakūn gūsai emte kirui ejen, emu nirui emte šanggiyan bayarai niyalma be gaifi, anafu teme genehe. orin i inenggi, nimanggi nimaraha. han i bithe, nikasa de wasimbuha, gurun i suilara joborongge, mini araha weile waka,

---

喀克都里總兵官率八旗每旗各一旗主、每牛彔各一白巴牙喇人，前往廣寧戍守。二十日，降雪。汗頒書諭漢人曰：「國人勞苦，非我之罪，

喀克都里总兵官率八旗每旗各一旗主、每牛彔各一白巴牙喇人，前往广宁戍守。二十日，降雪。汗颁书谕汉人曰：「国人劳苦，非我之罪，

gemu nikan i wan lii han i araha weile. wan lii han mujakū jasei tulergi encu gurun i weile de daha be, abka wakalafi wan lii han i beye bucehe, beye teile oci, abka ini wakalaha be gurun ulhirakū ojorahū seme,

皆明萬曆帝之罪也。萬曆帝干預著實無涉之邊外異國之事，遂遭天譴。萬曆帝身亡，僅其身死，上天恐國人不曉所譴，

皆明万历帝之罪也。万历帝干预着实无涉之边外异国之事，遂遭天谴。万历帝身亡，仅其身死，上天恐国人不晓所谴，

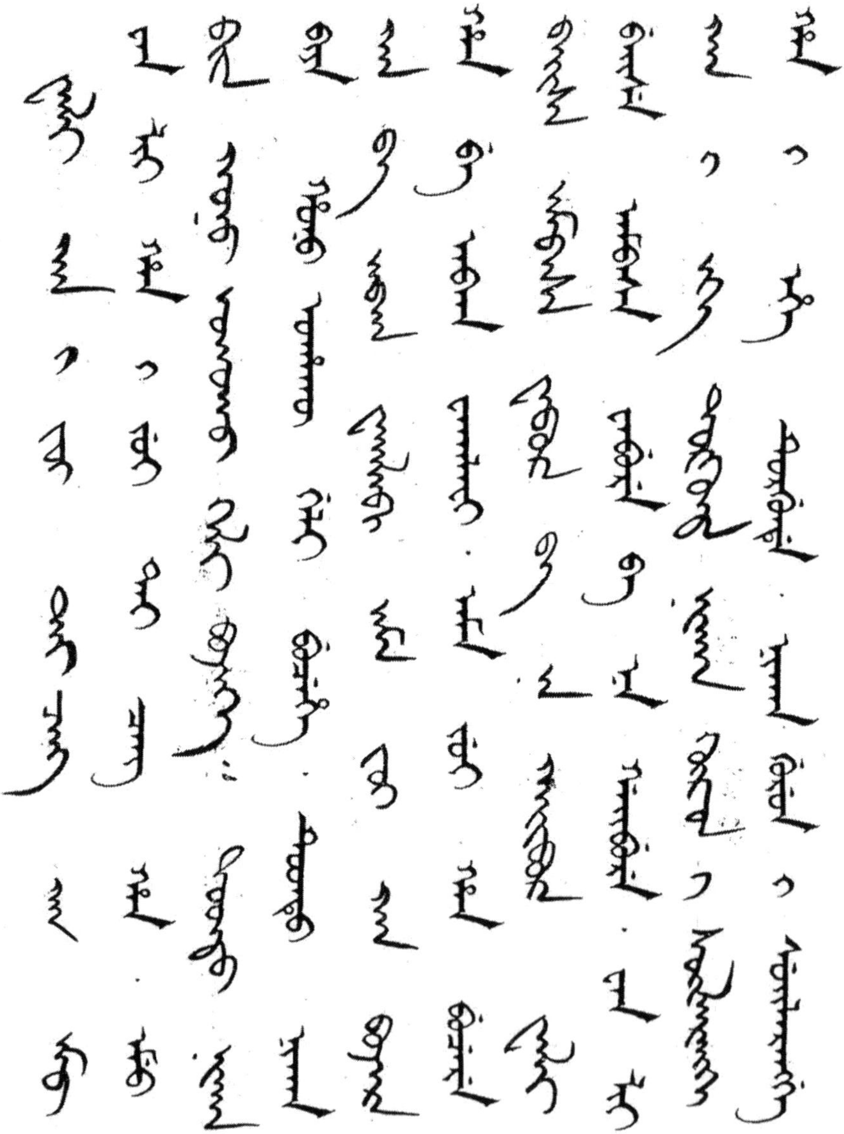

wan lii han i jui tai cang han, emu biya hono ohakū geli
bucehe. tuttu nikan han be abka wakalafi, ama jui han bucere,
beise ambasa wabure, ba na gaibure, wan lii han i ehe
turgunde, nikan gurun i suilarangge

遂又使萬曆帝之子泰昌帝未及一月又死亡。明帝遭受天
譴，父子帝身亡，諸王臣被殺，土地被陷。因萬曆帝作惡
之故，漢人受其苦者此也。

遂又使万历帝之子泰昌帝未及一月又死亡。明帝遭受天
谴，父子帝身亡，诸王臣被杀，土地被陷。因万历帝作恶
之故，汉人受其苦者此也。

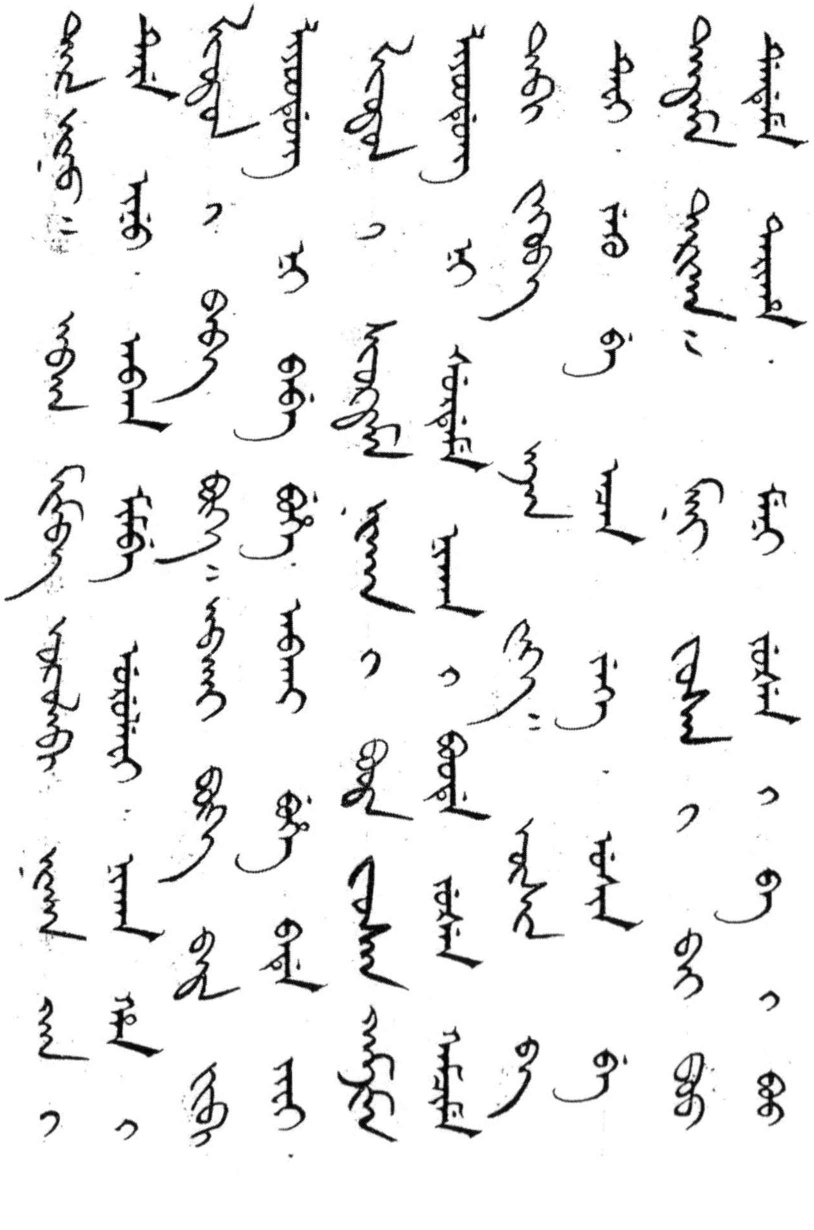

tere inu. abka mimbe urulefi, nikan han i liyoodung ni babe
buhe. abkai buhe bade jifi, liyoodung ni šurdeme nikan i
boode jušen kamcime tefi, jeku be acan jeke, usin be
dendeme tariha. meni jušen i ba i boo,

天以我為是，授我以明帝之遼東地方。既來至天授之地，
即令遼東周圍漢人之房屋與諸申合居，糧則同食，分田耕
種。我諸申地方之房屋、

天以我为是，授我以明帝之辽东地方。既来至天授之地，
即令辽东周围汉人之房屋与诸申合居，粮则同食，分田耕
种。我诸申地方之房屋、

usin, jeku be, gemu guribuhe nikan de buhe. ere gurun gurifi irgen i joboro aniya, jušen i kamcihakū ba i niyalma, suwe sidende jabdufi jeku ainu uncambi. jeku bisire bayasa, uncara jeku be han de benju, ajige ajige

---

田糧，皆給遷移之漢人。於此國移民苦之年，未與諸申合居地方之人，爾等為何乘間賣糧？著有糧之富人，將所售之糧獻汗，

田粮，皆给迁移之汉人。于此国移民苦之年，未与诸申合居地方之人，尔等为何乘间卖粮？着有粮之富人，将所售之粮献汗，

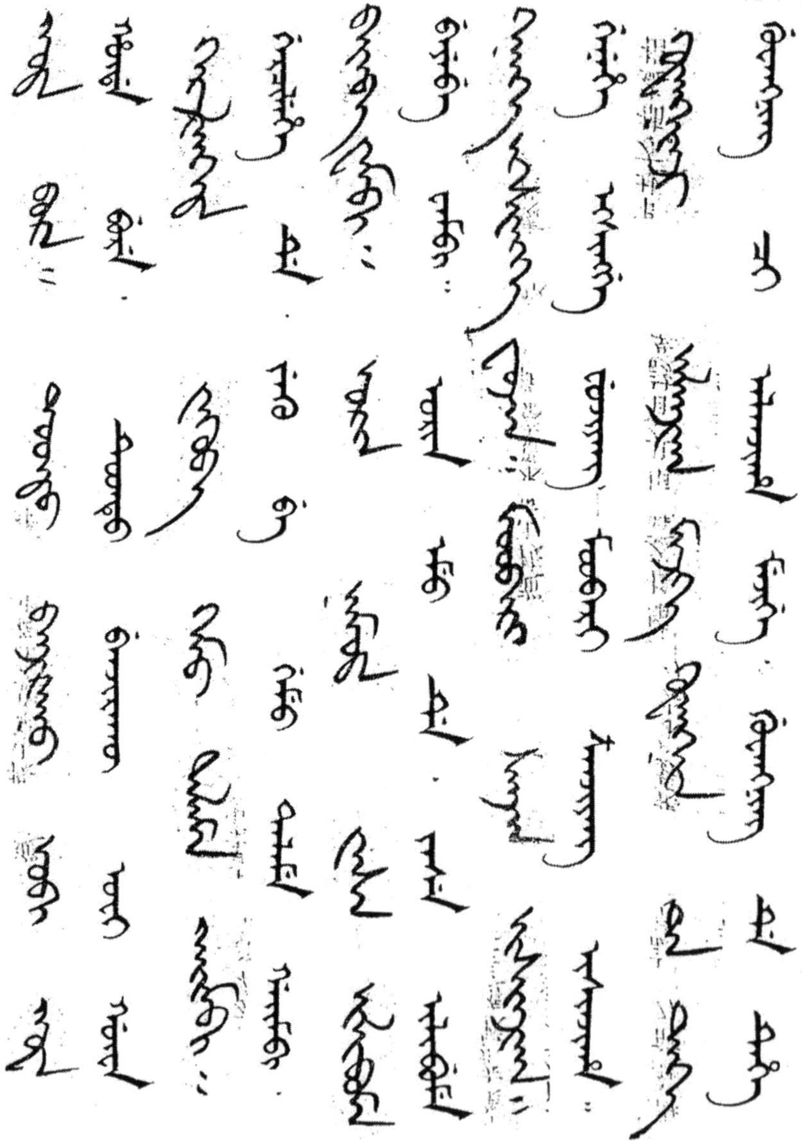

hūda bure, tuttu benjirakū ofi gūwa gercilehe de, jeku be gemu talame gaimbi, beyebe wambi. orin emu de, jase ilibume genehe eksingge fujiyang, moobari ts'anjiyang isinjiha. guwangning ci alanjiha mejige, guwangning de tehe

少許付價。若因不送來，被人首告，則盡沒其糧，並誅戮其身。二十一日，前往設立邊界之額克興額副將、毛巴里參將返回。廣寧來報信息曰：

少许付价。若因不送来，被人首告，则尽没其粮，并诛戮其身。二十一日，前往设立边界之额克兴额副将、毛巴里参将返回。广宁来报信息曰：

十四、備辦東珠

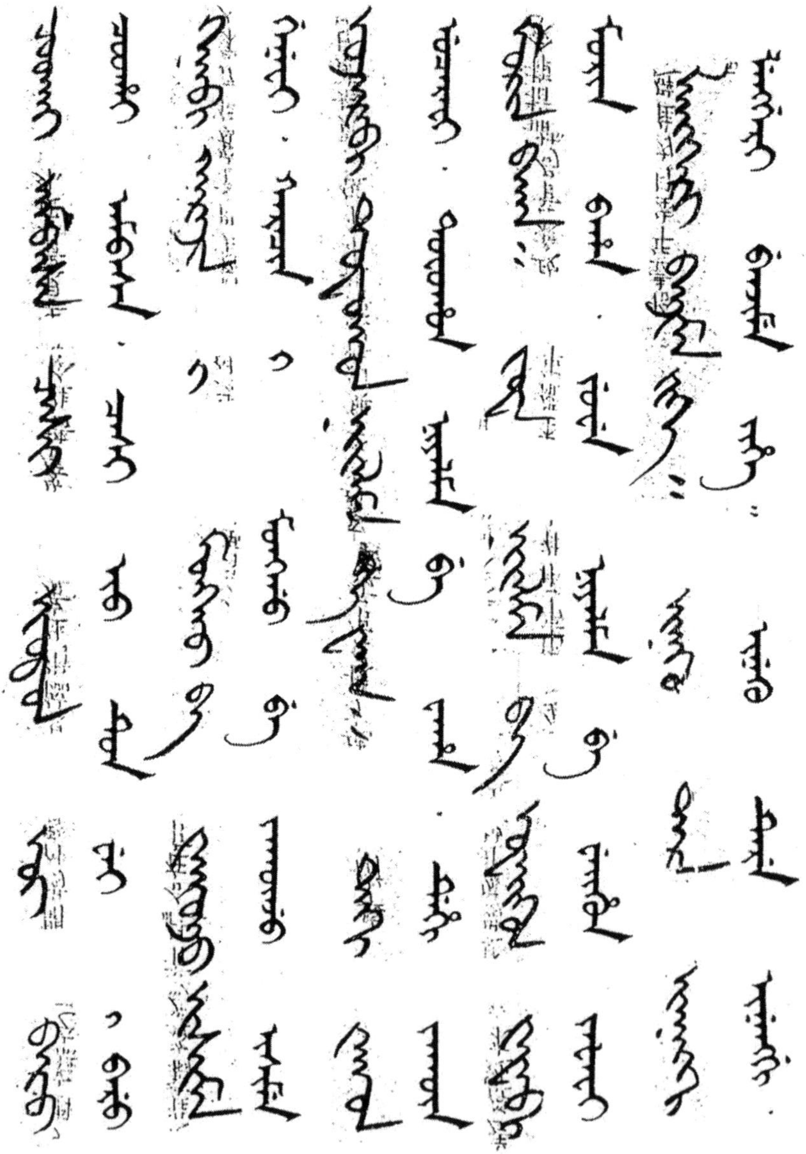

coohai ambasa, casi io tun wei i baru genefi, karacin i monggo be jakūnju isime ucarafi, tofohon niyalma be waha, dehi jakūn morin baha, juwe niyalma be weihun jafafi lenggeri benjime jihe. ineku tere inenggi,

「駐廣寧之統兵大臣等往右屯衛那邊時，遇喀喇沁蒙古將近八十人，殺十五人，獲馬四十八匹；其生擒二人，由冷格里解來。」是日，

「驻广宁之统兵大臣等往右屯卫那边时，遇喀喇沁蒙古将近八十人，杀十五人，获马四十八匹；其生擒二人，由冷格里解来。」是日，

ᠮᠠᠨᠵᡠ

ubahai ukanju amcame genefi jase be songko faitabuhakū
boode deduhe seme weile arafi, tofohon yan i gung faitaha.
šajin bayan i susai yan i gung be, sihan saman jifi faitaha
bihe, dahire jakade, orin yan faitaha,

烏巴海往追逃人，因未於邊界尋覓踪跡，而宿於家中，故
治以罪，銷功銀十五兩。希漢薩滿曾來，銷沙金巴彥功銀
五十兩。經復審，改銷銀二十兩，

乌巴海往追逃人，因未于边界寻觅踪迹，而宿于家中，故
治以罪，销功银十五两。希汉萨满曾来，销沙金巴彦功银
五十两。经复审，改销银二十两，

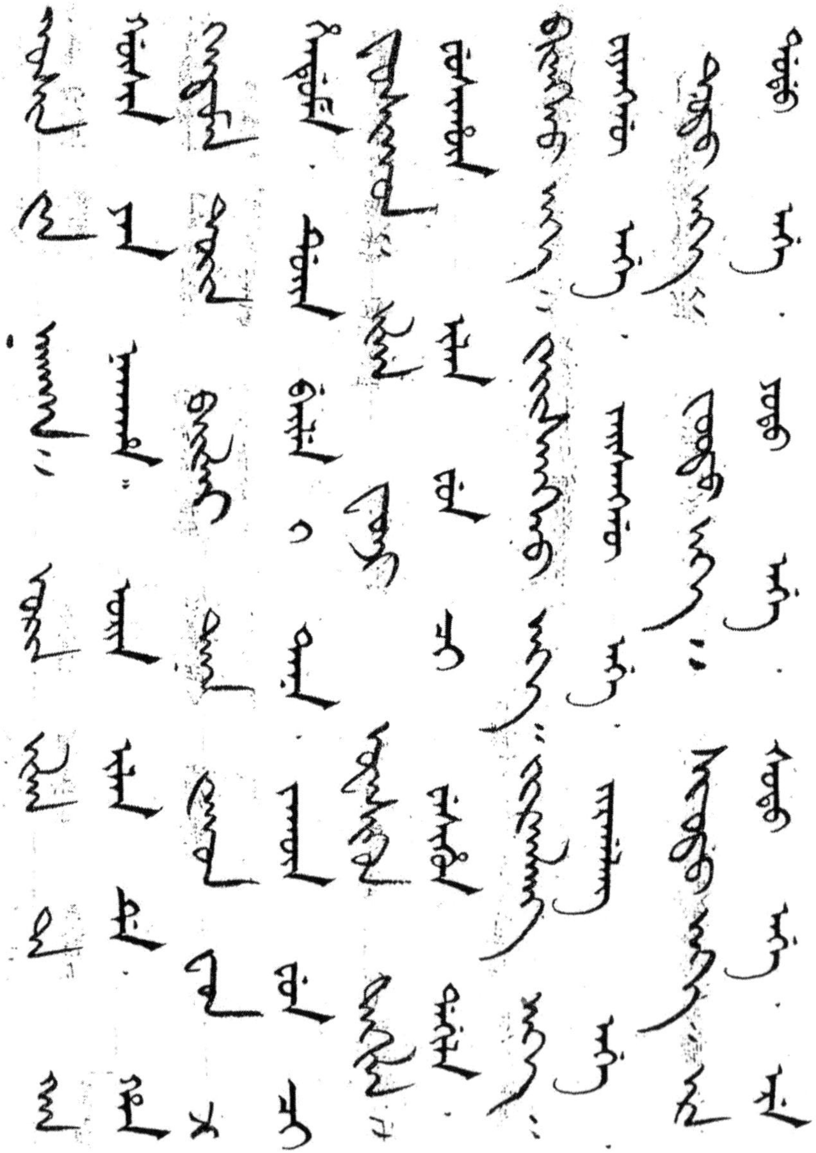

gūsin yan nakaha. orin ilan de, han hendume, duin beile i tana, jakūn fun ci fusihūn, ilan fun ci wesihun dagila. fiyanggū age, jaisanggū age, jirgalang age, dodo age, yoto age, šoto age ere

免銷銀三十兩。二十三日，汗曰：「四貝勒之東珠，備辦八分以下，三分以上。費揚古阿哥、齋桑古阿哥、濟爾哈朗阿哥、多鐸阿哥、岳托阿哥、碩托阿哥

免销银三十两。二十三日，汗曰：「四贝勒之东珠，备办八分以下，三分以上。费扬古阿哥、斋桑古阿哥、济尔哈朗阿哥、多铎阿哥、岳托阿哥、硕托阿哥

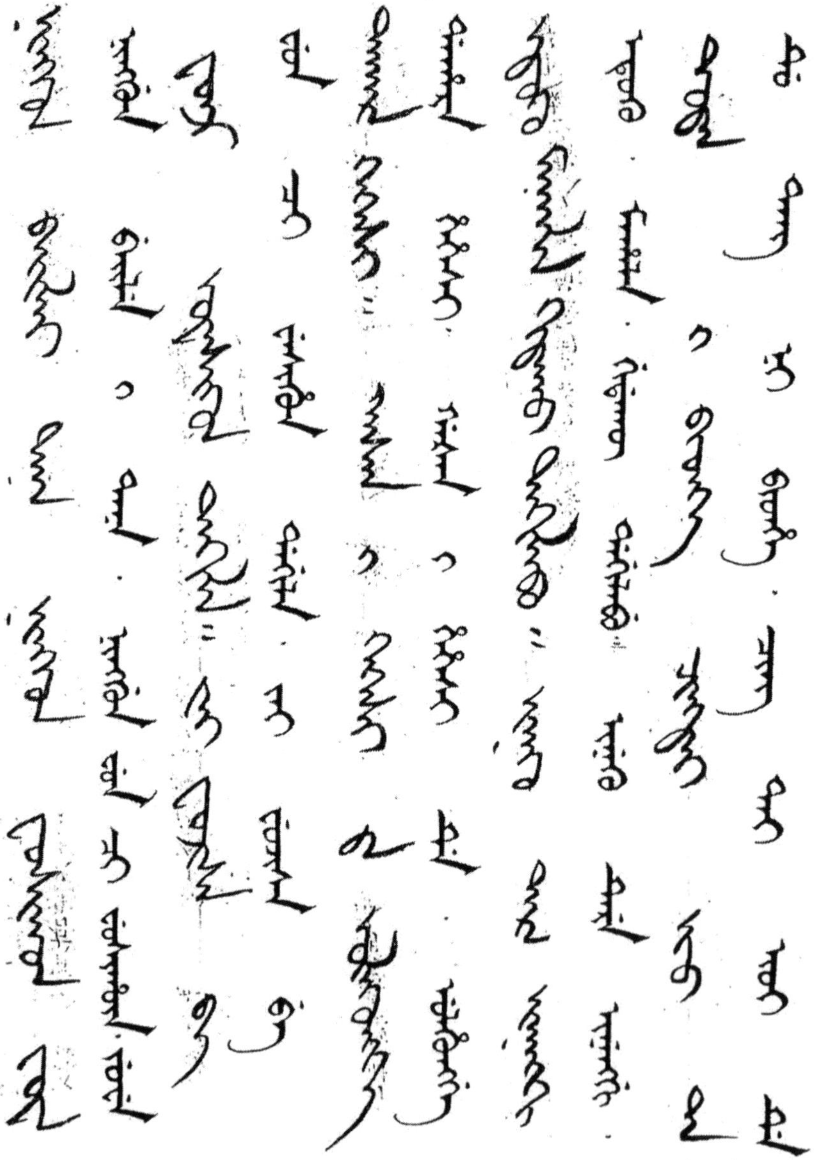

ninggun beile i tana, ninggun fun ci fusihūn, juwe fun ci wesihun dagila. jai fujisa be dahara hehesi, gašan i hehesi de, ulhungge etuku, mahala, gidakū dagilabu. ineku tere inenggi, du dang ni bithe, cing tai ioi de

此六貝勒之東珠，備辦六分以下，二分以上。再者，隨侍福晉之婦人及屯中婦人備辦有披肩之衣、帽、額箍。」是日，都堂致書駐青苔峪

此六贝勒之东珠，备办六分以下，二分以上。再者，随侍福晋之妇人及屯中妇人备办有披肩之衣、帽、额箍。」是日，都堂致书驻青苔峪

十五、屯戶叛逃

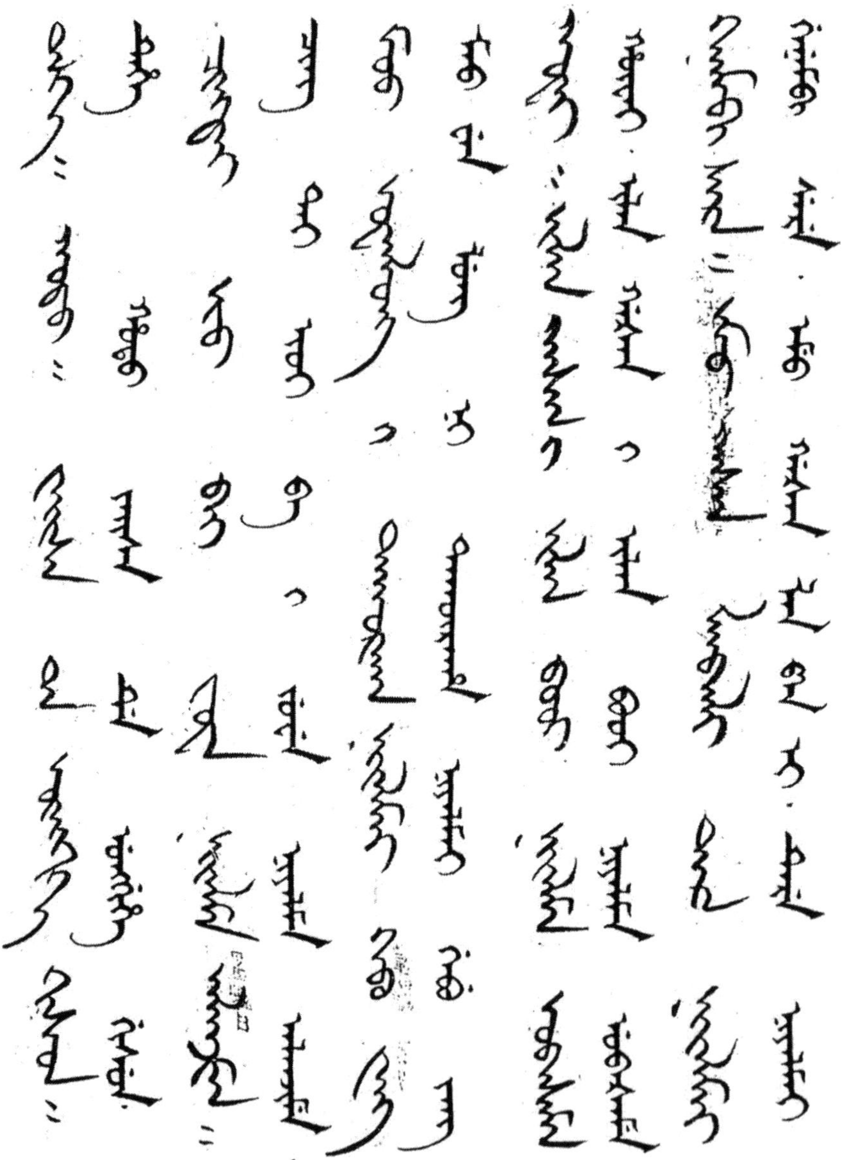

tehe hoto jaisa de unggihe gisun, cing tai ioi ba i juwe
niyalma alanjime, mao wen lung ni takūraha niyalmai gebu
jang hūwai, ilan gašan i ilan booi niyalma ubašame genembi
sere, emu gašan lan pan i, tere niyalmai

豁托寨薩曰：「據青苔峪地方二人來告，有三屯之三戶人
與毛文龍所遣名張懷叛逃而去等語。一屯蘭磐驛，

豁托寨薩曰：「据青苔峪地方二人来告，有三屯之三户人
与毛文龙所遣名张怀叛逃而去等语。一屯兰磐驿，

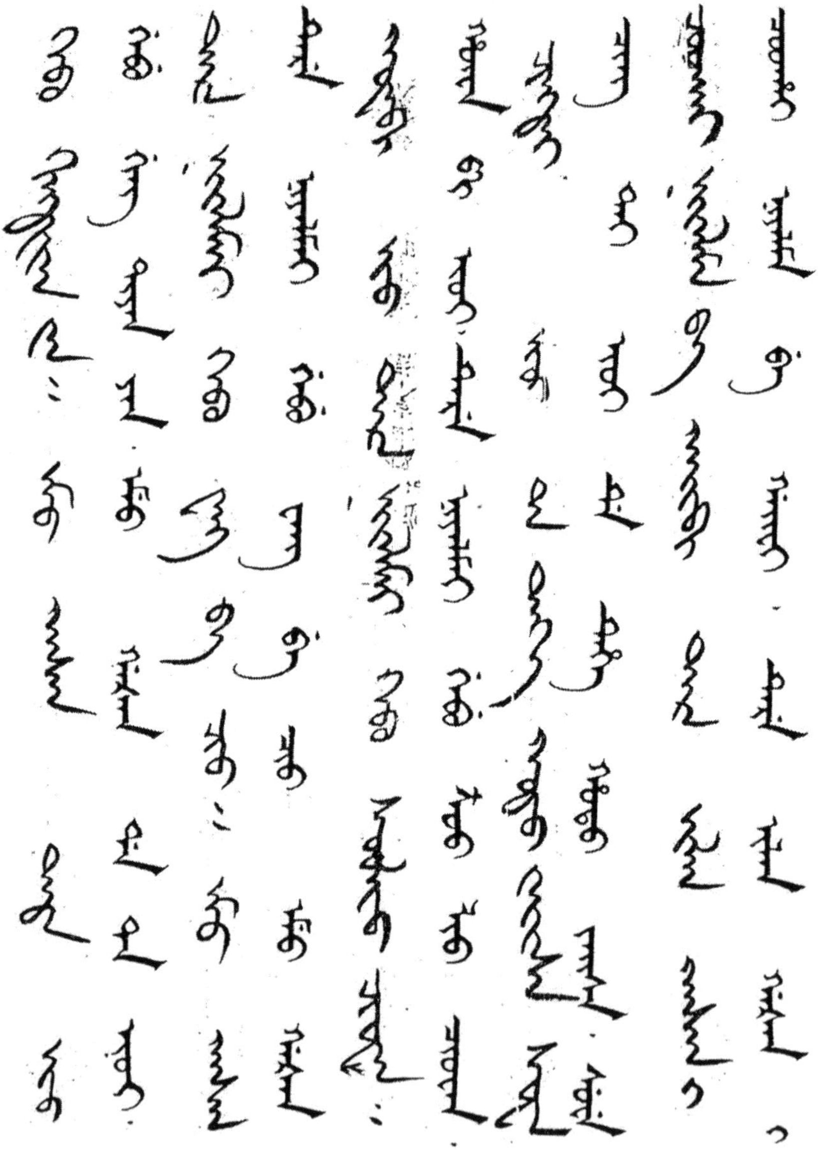

gebu ging tiyan yan, emu gašan da ta ioi tere niyalmai gebu
wang be cio, emu gašan hūwa pi ioi, tere niyalmai gebu ts'oo
lio ciowan. cing tai ioi de tehe hoto jaisa, suwe coohai
niyalma be gaifi, tere ilan gašan i

其人名景天彥；一屯達塔峪，其人名王百求；一屯樺皮峪，
其人名曹留全。著駐青苔峪之豁托寨薩，爾等率領兵丁將
該三屯之

其人名景天彥；一屯达塔峪，其人名王百求；一屯桦皮峪，
其人名曹留全。着驻青苔峪之豁托寨萨，尔等率领兵丁将
该三屯之

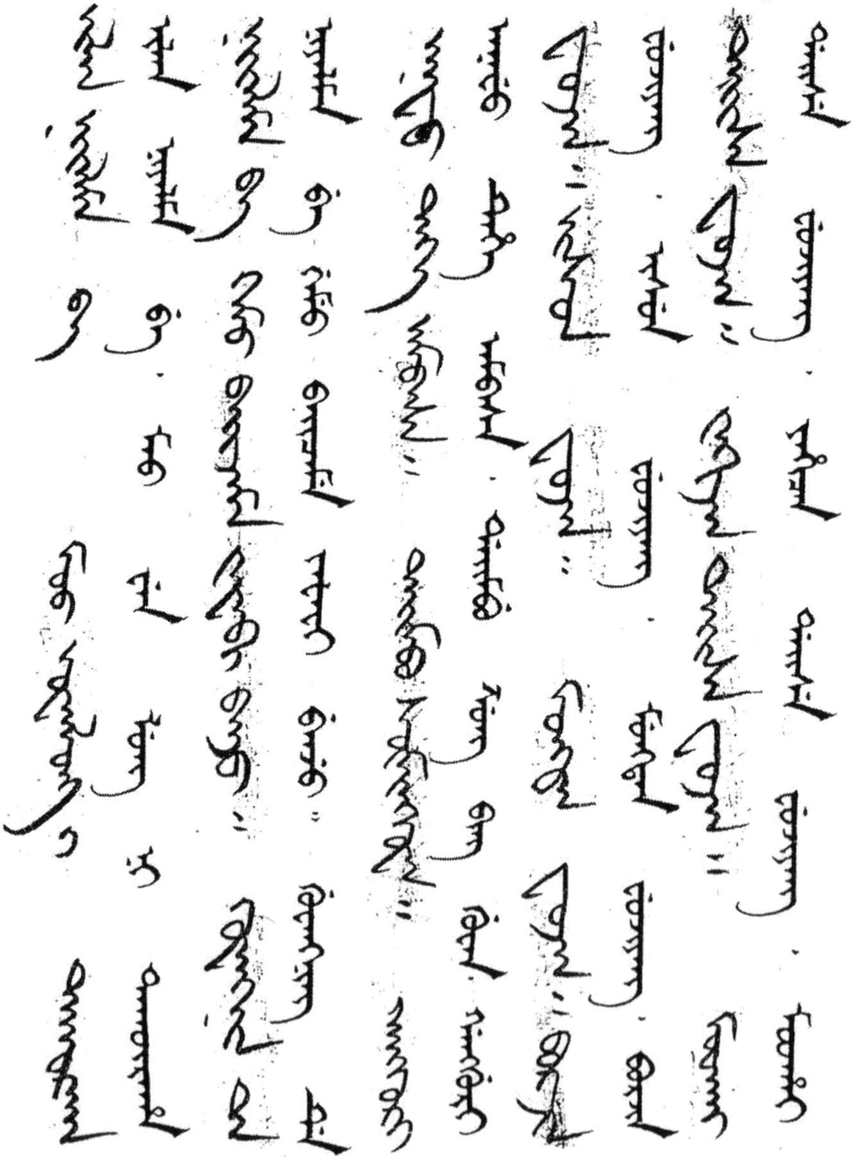

ilan niyalma be, mao wen lung ni takūraha niyalma be gemu baicame jafafi benju. guwangning de anafu tehe ambasa daimbu dzung bing guwan, gangguri fujiyang, isun fujiyang, mungtan fujiyang, borjin daise fujiyang, yahican daise fujiyang, moohai

---

三人及毛文龍所遣之人，皆查拏解來。」戍守廣寧之大臣戴木布總兵官、剛古里副將、伊蓀副將、孟坦副將、博爾晉代理副將、雅希禪代理副將、茂海遊擊、

三人及毛文龙所遣之人，皆查拏解来。」戍守广宁之大臣戴木布总兵官、刚古里副将、伊苏副将、孟坦副将、博尔晋代理副将、雅希禅代理副将、茂海游击、

iogi, hargūji iogi, onoi iogi, donoi iogi, keri iogi, orin ilan de isinjiha. orin duin de, han i saoli, lii ši gung be, giyansi jafaha seme wesibufi šeobei obuha. kuwan diyan i jao iogi, mao wen lung ni

哈爾古吉遊擊、鄂諾依遊擊、多諾依遊擊、克里遊擊等於二十三日返回。二十四日，汗之皁隸[16]李世功拏獲奸細[17]，陞為守備。寬甸之趙遊擊

哈尔古吉游击、鄂诺依游击、多诺依游击、克里游击等于二十三日返回。二十四日，汗之皁隶李世功拏获奸细，升为守备。宽甸之赵游击

---

16 皁隸，《滿文原檔》、《滿文老檔》俱讀作 "saoli"，係漢文「皁隸」音譯詞；規範滿文讀作"undeci"。
17 奸細《滿文原檔》，寫作 "jijansi"，讀作 "jiyansi"，《滿文老檔》讀作 "giyansi"，係漢文「奸細」音譯詞；規範滿文讀作"gūldusi"。

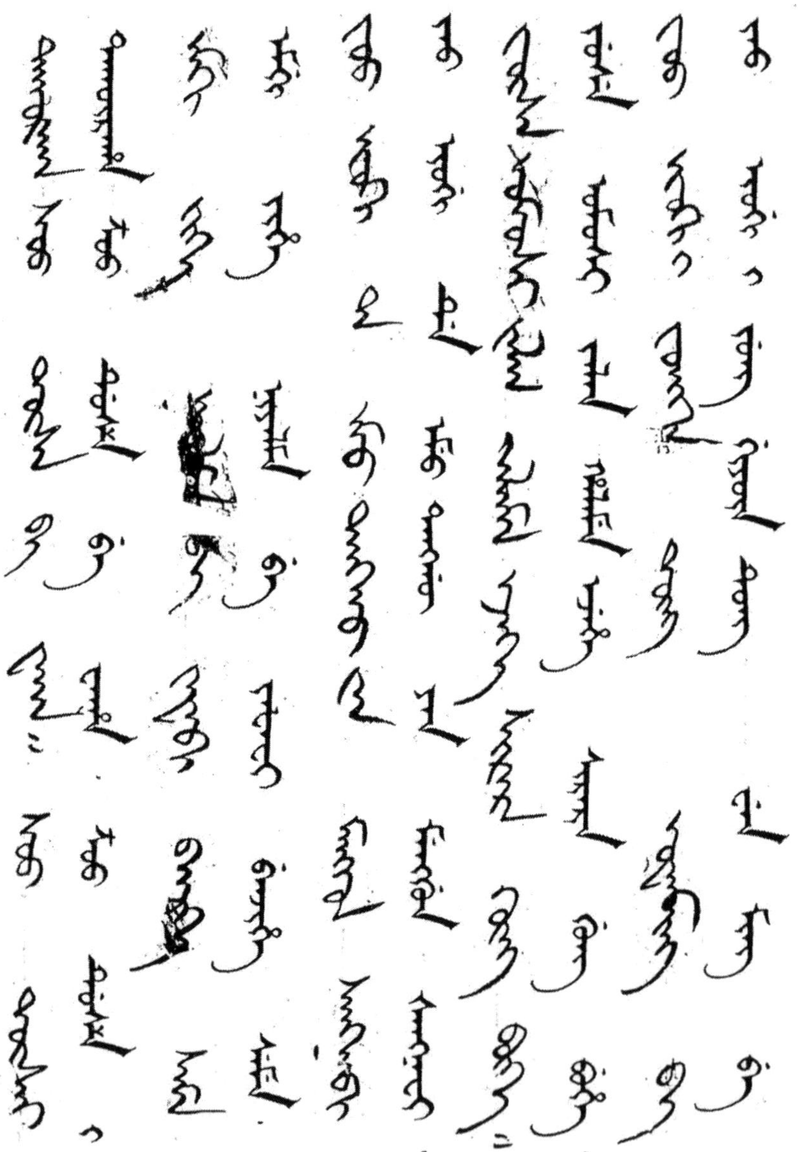

takūraha ts'oo dusy be waha, ts'oo dusy i emgi jihe niyalma
be jafafi benjihe seme, jao iogi de emu tanggū yan menggun
šangnafi, juse omosi jalan halame ejehe sirara gung buhe.
jao iogi i jung giyūn tung wen ming be

殺毛文龍所遣之曹都司，並擒拏與曹都司同來之人解至，
賞趙遊擊銀一百兩，賜其子孫世襲罔替之功。趙遊擊屬下
之中軍佟文明

杀毛文龙所遣之曹都司，并擒拏与曹都司同来之人解至，
赏赵游击银一百两，赐其子孙世袭罔替之功。赵游击属下
之中军佟文明

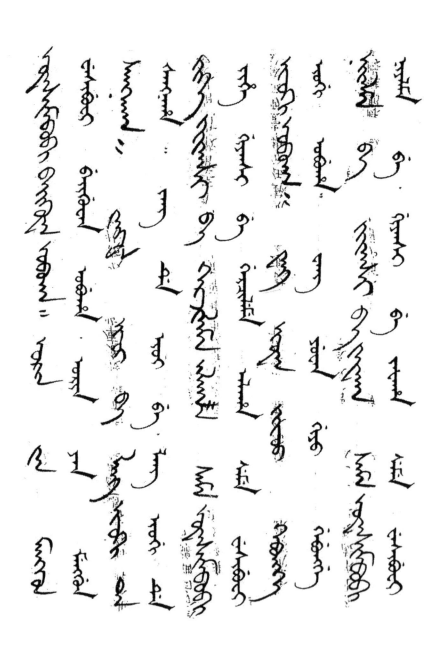

wesibufi beiguwan obuha, orin yan menggun šangnaha. jang de ioi be, lang iogi de jihe giyansi be gercileme alaha seme wesibufi iogi obuha. wang yuwan giyo gebungge niyalma be, giyansi be jafaha seme wesibufi

陞為備禦官，賞銀二十兩。張德玉因向郎遊擊首告奸細，陞為遊擊。名叫王元皎之人因擒獲奸細，

升为备御官，赏银二十两。张德玉因向郎游击首告奸细，升为游击。名叫王元皎之人因擒获奸细，

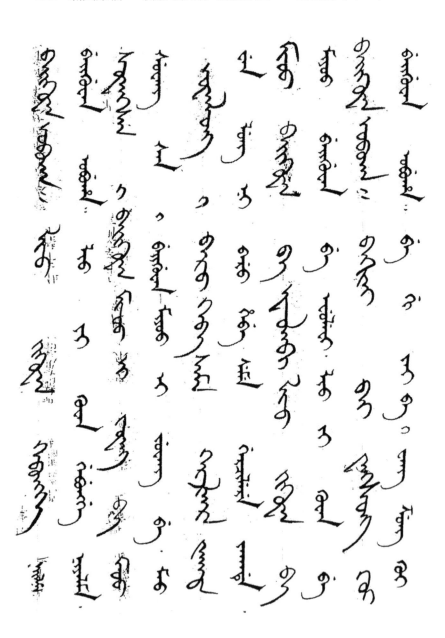

beiguwan obuha. lio ji kuwan gebungge niyalma, šuwang
šan i beiguwan miyoo i juwang be, mao wen lung ni baru
hebe seme gercilere jakade, miyoo beiguwan be efulefi, lio ji
kuwan be beiguwan obuha. be gi jai ba i wang dzung kui

陞為備禦官。名叫劉吉寬之人，因首告雙山備禦官苗宜莊
私通毛文龍，革苗備禦官；以劉吉寬為備禦官。北吉寨地
方名叫王宗魁之人，

升为备御官。名叫刘吉宽之人，因首告双山备御官苗宜庄
私通毛文龙，革苗备御官；以刘吉宽为备御官。北吉寨地
方名叫王宗魁之人，

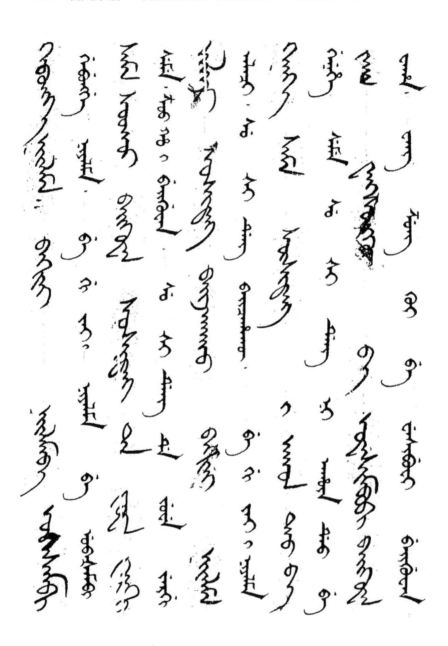

gebungge niyalma, be gi jai i niyalma be ubašambi seme,
ts'oo ho i beiguwan su ši deng de juwe jergi alaci, su ši deng
baicahakū, be gi jai i niyalma genehe seme su ši deng ni
ahūn deo be waha, wang dzung kui be wesibufi beiguwan

將北吉寨之人謀叛，二次告於草河備禦官蘇世登，而蘇世
登未查，致使北吉寨之人逃走，故執殺蘇世登兄弟；陞王
宗魁為備禦官。

将北吉寨之人谋叛，二次告于草河备御官苏世登，而苏世
登未查，致使北吉寨之人逃走，故执杀苏世登兄弟；升王
宗魁为备御官。

obuha. mao wen lung ni šusihiyeme takūraha giyansi niyalma be, ša cang ni beiguwan wang dz deng baicafi baha seme, wang dz deng be wesibufi iogi obuha giyansi be jafaha bedzung jang bing i be wesibufi ciyandzung obuha, jang bing i de aisilaha

沙廠備禦官王子登查獲毛文龍遣來離間之奸細,陞王子登為遊擊。陞擒獲奸細之把總張秉儀為千總,協助張秉儀之

沙厂备御官王子登查获毛文龙遣来离间之奸细,升王子登为游击。升擒获奸细之把总张秉仪为千总,协助张秉仪之

emu niyalma de juwan yan menggun šangnaha. lii dusy, jang dz jing gebungge niyalma be, mao wen lung takūraha emu giyansi be serefi jafaha seme wesibufi beiguwan obuha. tang šan i šeo pu tang ing yuwan be,

---

一人賞銀十兩。李都司稟告名張子敬之人發覺並擒獲毛文龍所遣奸細一人，陞張子敬為備禦官。湯山守堡唐英元

一人赏银十两。李都司禀告名张子敬之人发觉并擒获毛文龙所遣奸细一人，升张子敬为备御官。汤山守堡唐英元

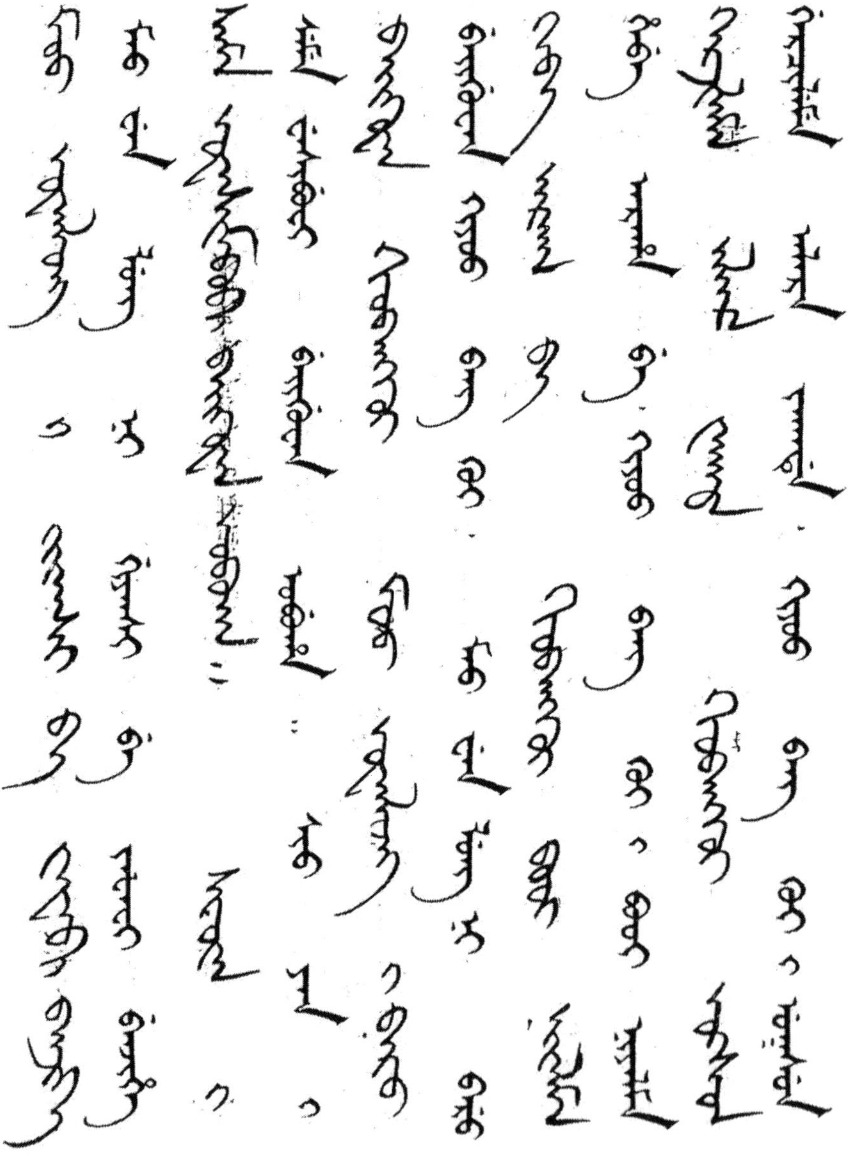

mao wen lung ni giyansi be jafafi benjihe seme wesibufi
beiguwan obuha. sio yan i beiguwan kiyoo bang kui, mao
wen lung ni baru hebe araha be, kiyoo bang kui i booi
niyalma gercileme alara jakade, kiyoo bang kui i uksun

擒獲毛文龍之奸細解來，陞為備禦官。岫巖備禦官喬邦魁
與毛文龍密謀，因被喬邦魁家人首告，遂將喬邦魁之

擒获毛文龙之奸细解来，升为备御官。岫岩备御官乔邦魁
与毛文龙密谋，因被乔邦魁家人首告，遂将乔邦魁之

十六、豢養官員

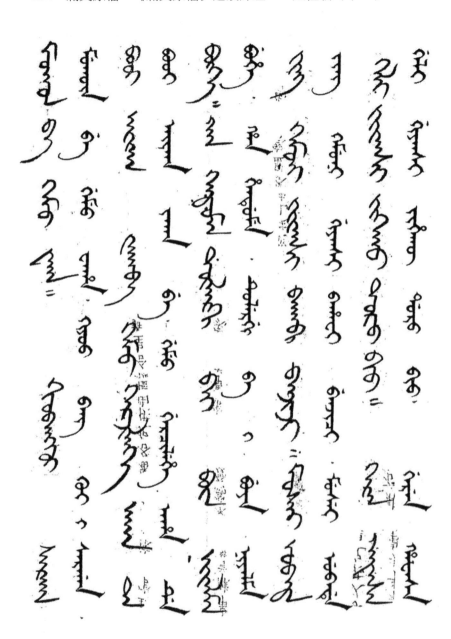

mukūn be gemu waha, kiyoo bang kui i sargan, booi aika jaka be, gemu gercilehe aha de buhe. han hendume, tulergi ba i buya niyalma, jing kemuni giyansi bahafi benjici, musei ubade geli giyansi jihekū doro bio. geren hafasa

族親，皆殺之，並將喬邦魁之妻及家中諸物，皆給首告之僕人。汗曰：「外地之小人，經常擒解奸細，而我處豈有奸細不來之理耶？爾等眾官員，

族亲，皆杀之，并将乔邦魁之妻及家中诸物，皆给首告之仆人。汗曰：「外地之小人，经常擒解奸细，而我处岂有奸细不来之理耶？尔等众官员，

suwe dulga niyalma, nikan han de bucere weile bahafi loo de bihe, dulga niyalma efujefi beye bihe, jai gemu dain de bahafi ujihe niyalma kai. bi tukiyefi hafan obufi ujici, suwe ujihe baili be

---

一半之人為明帝判以死罪監禁於牢獄之中，一半之人為被廢黜之身，且皆係獲於陣中而加以豢養之人也。我舉之為官而豢養之，爾等若念豢養之恩，

一半之人为明帝判以死罪监禁于牢狱之中，一半之人为被废黜之身，且皆系获于阵中而加以豢养之人也。我举之为官而豢养之，尔等若念豢养之恩，

gūnime, mao wen lung ni takūraha giyansi be suwe emke ainu tuciburakū. ukandara ubašara ehe facuhūn be ainu baicarakū. tuttu han i jalin de faššarakūci, suwembe ujihe ai tusa. yaya niyalma ukandara ubašara be serefi

爾等為何未將毛文龍所遣之奸細查出一人？為何不查叛逃暴亂者？若如此不為汗效力，豢養爾等何益？凡是發覺叛逃之人

尔等为何未将毛文龙所遣之奸细查出一人？为何不查叛逃暴乱者？若如此不为汗效力，豢养尔等何益？凡是发觉叛逃之人

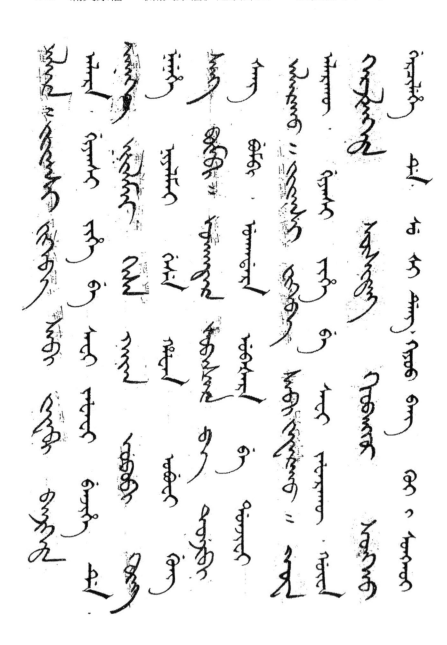

alara. giyansi jihe be safi jafafi benjihe de, nenehe niyalmai gese hafan obufi gung šang bumbi. ukandara ubašara be donjifi alarakū, giyansi jihe be safi jafarakū, gūwa gercilehe de, su ši deng, kiyoo bang kui i songkoi

即來報。知奸細來即擒拏解至，如同前人為官，記功給賞。若聞叛逃而不報，見奸細來而不擒拏，被人首告時，即照蘇世登、喬邦魁處治。」

即来报。知奸细来即擒拏解至，如同前人为官，记功给赏。若闻叛逃而不报，见奸细来而不擒拏，被人首告时，即照苏世登、乔邦魁处治。」

十七、創業維艱

ombikai. gurbusi efu i eyun, sargan, sengge tabunang sargan, manggo tabunang sargan, eniye, labsihi eniye, sargan, eyun, eniye, harakcin fujin, ooba tabunang sargan, ere juwan niyalma de emte aisin i monggolikū, emte

---

固爾布什額駙之姊、妻，僧格塔布囊之妻，莽古塔布囊之妻、母，拉布希喜之母、妻、姊，哈拉克欽之福晉，奧巴塔布囊之妻，此十人賜以金項圈各一個、

固尔布什额驸之姊、妻，僧格塔布囊之妻，莽古塔布囊之妻、母，拉布什喜之母、妻、姊、母哈拉克钦之福晋，奥巴塔布囊之妻，此十人赐以金项圈各一个、

aisin i šerin, juwete juru aisin i ancun buhe. orin duin de, yeodehe ts'anjiyang, abutai beiguwan, jeng giyang ni baru anafu teme genefi isinjiha. han hendume, musei etenggi bade kadalara fafularangge ambula, musei joboro bade

金佛頭[18]各一尊、金耳墜各二對。二十四日，前往戍守鎮江之尤德赫參將、阿布泰備禦官返回。汗曰：「我強盛之地，能管束者多，我艱難之地，

金佛头各一尊、金耳坠各二对。二十四日，前往戍守镇江之尤德赫参将、阿布泰备御官返回。汗曰：「我强盛之地，能管束者多，我艰难之地，

[18] 金佛頭，《滿文原檔》寫作"aisin i sijarin"，讀作"aisin i siyarin"，《滿文老檔》讀作"aisin i šerin"。

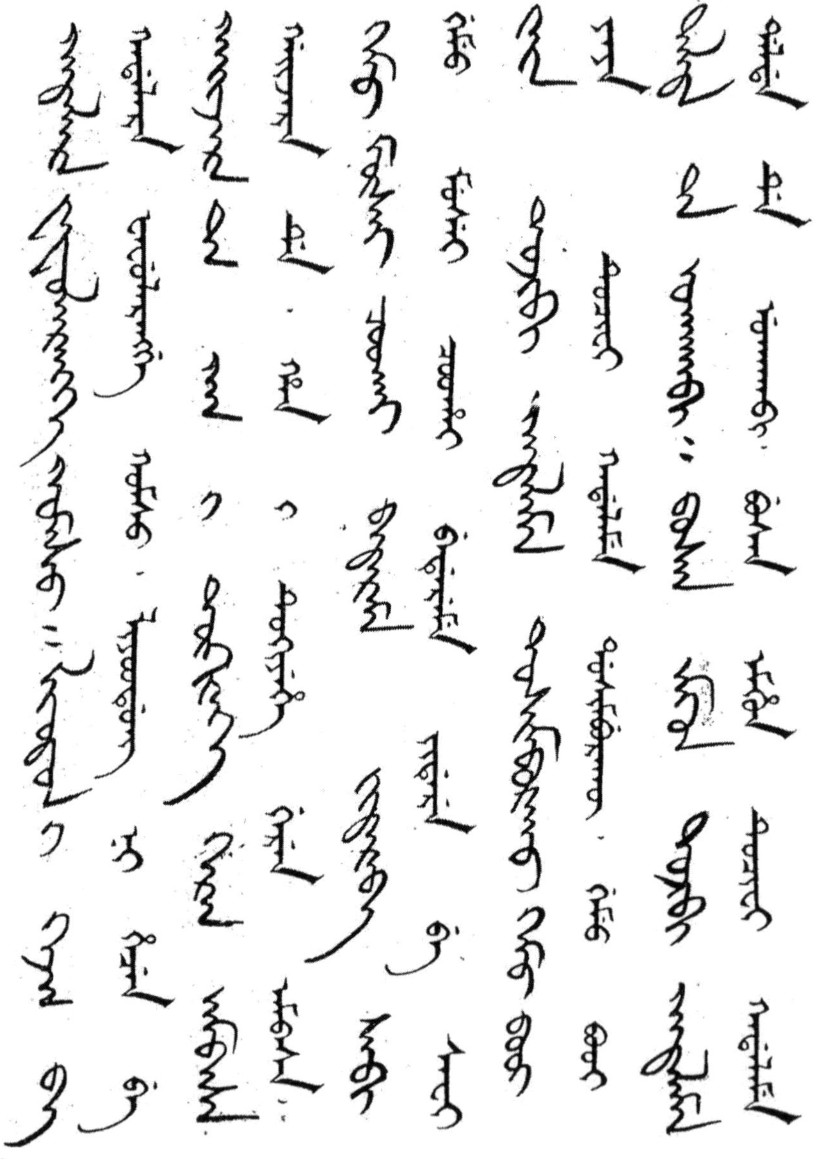

kadalara fafularangge komso, liyoodung ni hecen be gaijara de, han i tukiyehe geren ambasa gemu musei coohai bedereme jidere be safi, yaya tucifi kadalame dosimburakū, gemu booi dalda de ukakabi, busan emhun tucifi kadalame

能管束者少；取遼東城，汗所舉之眾臣，皆知我兵退回，無人出來管束，皆逃避於家中，唯有布三單獨出來管束，

能管束者少；取辽东城，汗所举之众臣，皆知我兵退回，无人出来管束，皆逃避于家中，唯有布三单独出来管束，

jurceme cooha unggihebi. tuttu musei joboro bade, busan emhun beyede alifi kadalaha seme, amba gung arafi, busan be uju jergi dzung bing guwan i hergen bufi, gūsa de ejen obuha, juse omosi jalan halame bucere

更番遣兵。如此於我艱難之地，布三能隻身承當管理，故記大功，賜布三以頭等總兵官之職，授為旗主；子孫世世雖獲死罪，

更番遣兵。如此于我艰难之地，布三能只身承当管理，故记大功，赐布三以头等总兵官之职，授为旗主；子孙世世虽获死罪，

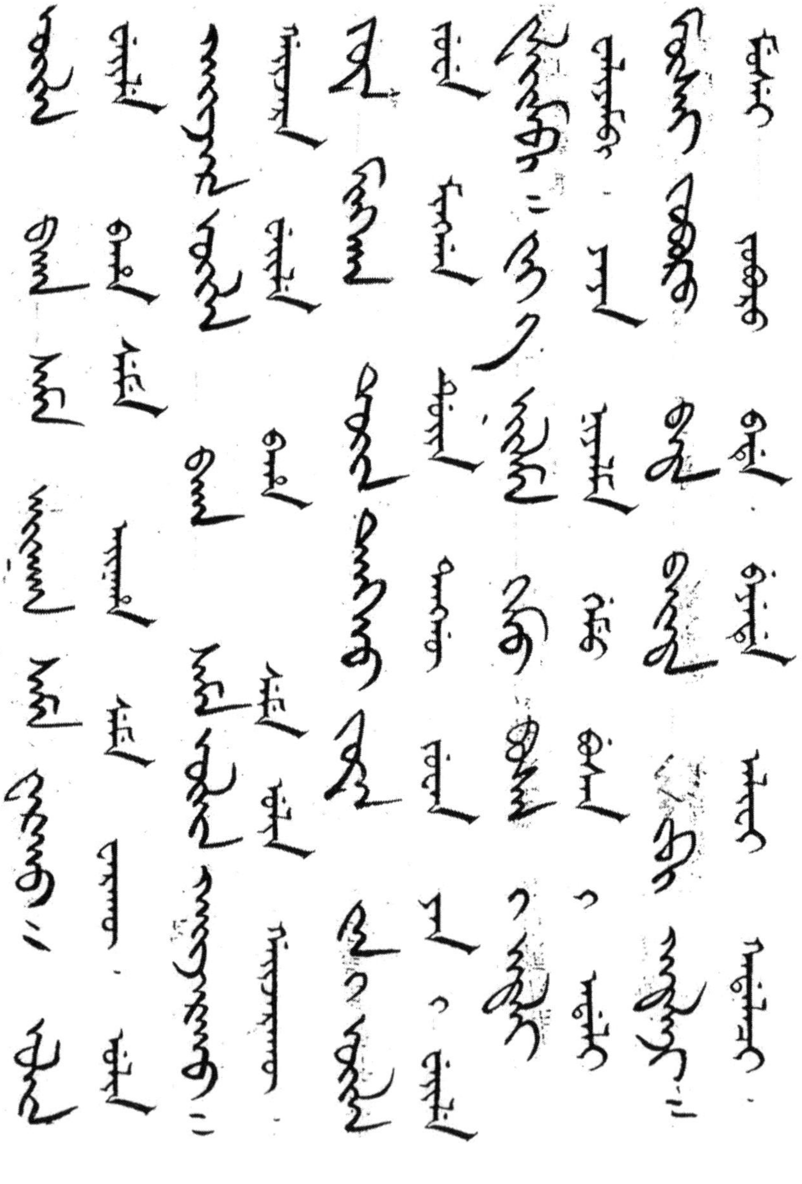

weile baha seme ainaha seme warakū, ulin gaijara weile baha seme ulin gaijarakū, juwe minggan duin tanggū juwan yan i weile waliyambi. yaya niyalma gemu busan i adali musei joboro bade, beyede alifi kadalaci,

---

但絕不殺害，獲貪贓之罪而不取其財，免其二千四百一十兩之罪。凡是如同布三之人，倘若皆能於我艱難之地，自身承當管理時，

但绝不杀害，获贪赃之罪而不取其财，免其二千四百一十两之罪。凡是如同布三之人，倘若皆能于我艰难之地，自身承当管理时，

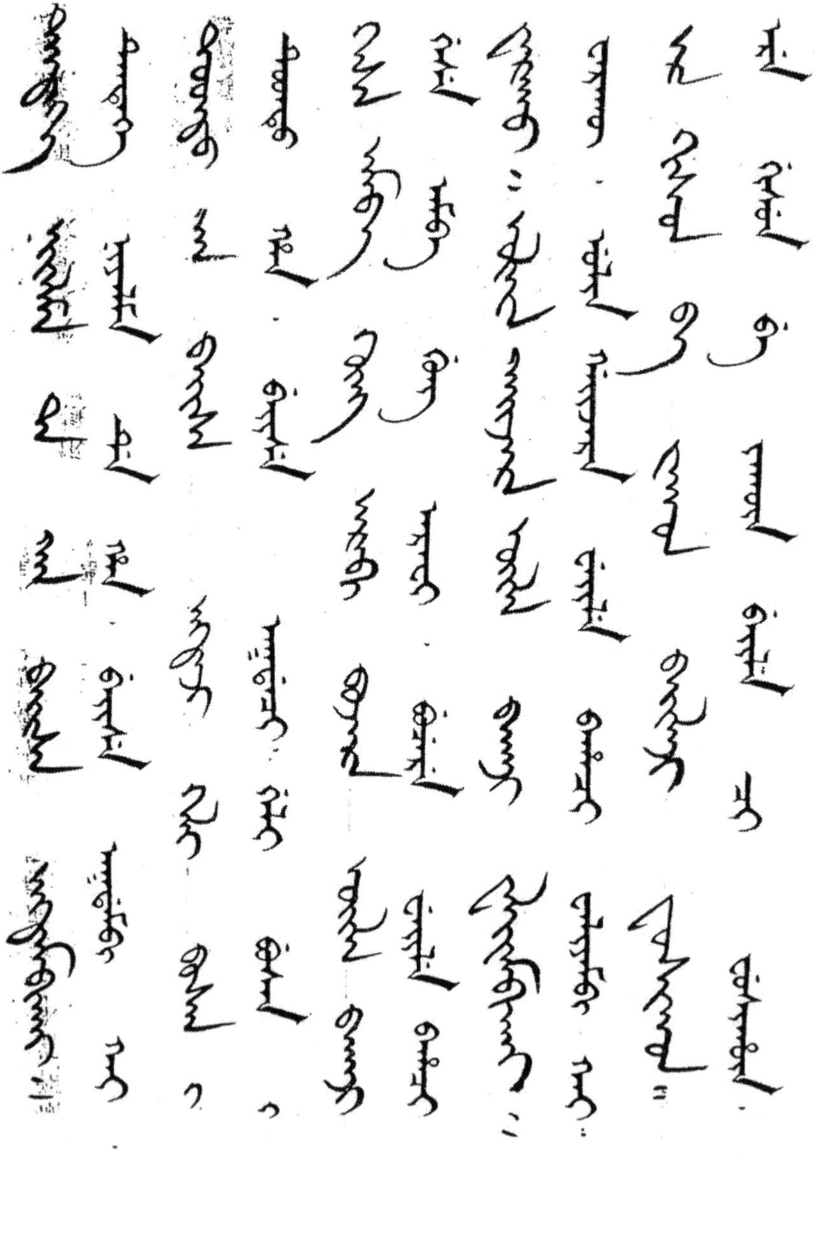

tenteke niyalma de han, beise akdambi kai. tuttu han, beise
akdaci, geli busan i gese amba gung arafi, bucere weile
bahaci warakū, ulin gaijara weile bahaci waliyambi kai. ere
gisun be jakūn beile ci fusihūn,

如此之人，汗與諸貝勒必將信賴也。若蒙汗與諸貝勒之信
賴，亦如同布三記大功，獲死罪不殺害，獲貪贓罪免取其
財也。」將此諭書於八貝勒以下，

如此之人，汗与诸贝勒必将信赖也。若蒙汗与诸贝勒之信
赖，亦如同布三记大功，获死罪不杀害，获贪赃罪免取其
财也。」将此谕书于八贝勒以下，

iogi ci wesihun, monggolire bithede arafi monggolihabi. suwayan ejehe de bithe arafi doron gidafi busan de buhebi. han i bithe, guwangning de unggihe, hecen i dorgi akdun babe gemu doigonde baicame efule, boo gemu tuwa sinda, nenehe

---

遊擊以上之項上掛文懸掛之。又繕寫黃敕書，鈐印賜予布三。汗致書廣寧曰：「著將城內堅固之處，皆先行查明毀之，其房屋皆放火焚之。

游击以上之项上挂文悬挂之。又缮写黄敕书，钤印赐予布三。汗致书广宁曰：「着将城内坚固之处，皆先行查明毁之，其房屋皆放火焚之。

十八、織造工藝

inenggi tuwa sindafi duleme wajihakū boo be, jai inenggi dasame wacihiyame sindame gilgabu. hecen dukai sele be hūwakiyame gaifi tuwa sinda, jeku juweme wajime jakade gemu jio. orin sunja de, du tang hendume, g'ao giya jung sebe gecuheri,

前日放火焚燒未完之房屋，次日再行放火燒成灰燼。剖城門鐵，放火焚之，糧食運完，著皆回來。」二十五日，都堂曰：「高家仲等

前日放火焚烧未完之房屋，次日再行放火烧成灰烬。剖城门铁，放火焚之，粮食运完，着皆回来。」二十五日，都堂曰：「高家仲等

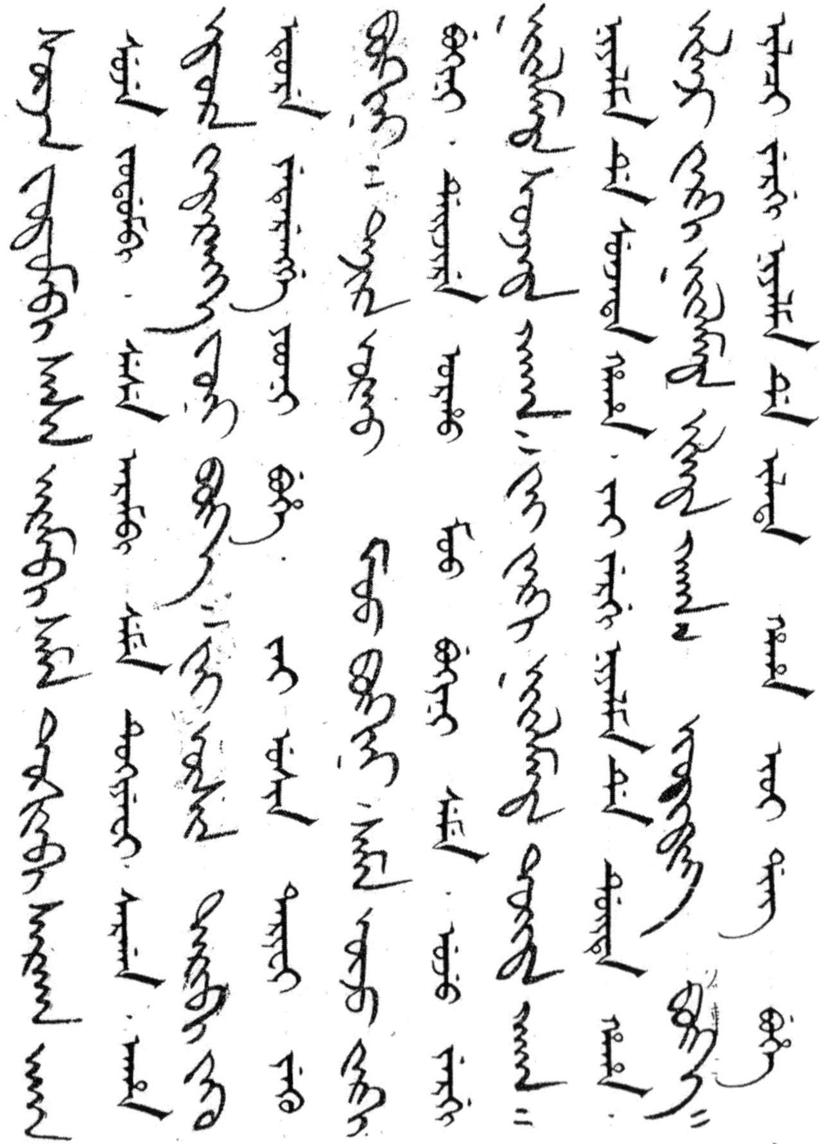

suje jodombi, sese arambi seme tukiyefi, sargan, aha, eture jeterengge yooni buhe. jai usin tarifi jeku bukini, deijire orho moo bukini seme, uju jergi niyalma de sunjata haha, jai jergi niyalma de duite haha, ilaci jergi niyalma de ilata haha ioi ding buhe,

———————

因織蟒緞、綢緞，製作金線而舉用，俱給妻、奴、衣食。又令耕田供給糧食、焚燒之草木，頭等之人賜男丁各五人，二等之人賜男丁各四人，三等之人賜男丁各三人，由餘丁中撥給之。

———————

因织蟒缎、绸缎，制作金线而举用，俱给妻、奴、衣食。又令耕田供给粮食、焚烧之草木，头等之人赐男丁各五人，二等之人赐男丁各四人，三等之人赐男丁各三人，由余丁中拨给之。

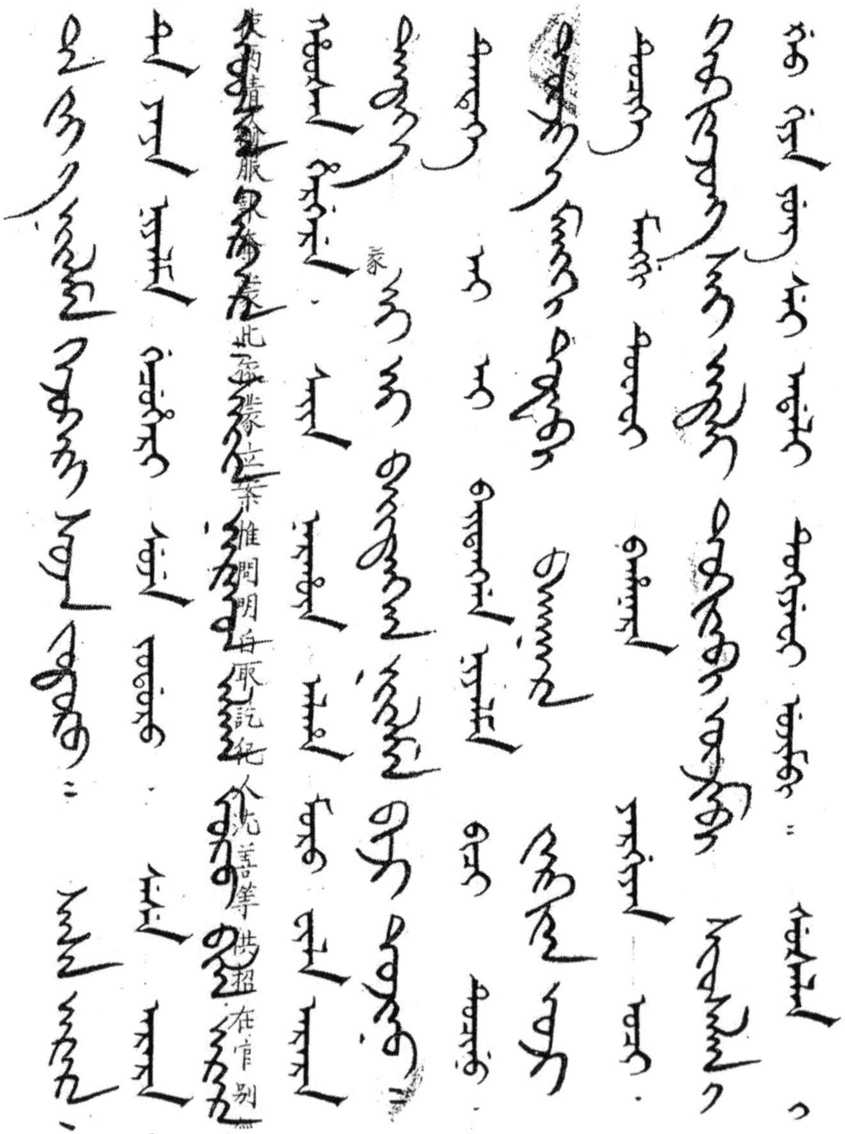

te yaya niyalma gecuheri, suje jodoro, sese arara, hoošan hergere, sain narhūn alha, moro, fila arara, tenteke ai ai baitangga niyalma bici tucinu, tucike manggi tuwafi bahanara yargiyan oci, g'ao giya jung sei adali tukiyefi ujimbi. šušalan i

今凡有能織蟒緞、綢緞，製作金線、紙張、精美閃緞、碗、碟等各樣有用之物者，即行自報，經驗明確實能者，亦如同高家仲等舉用豢養。」

今凡有能织蟒缎、绸缎，制作金线、纸张、精美闪缎、碗、碟等各样有用之物者，即行自报，经验明确实能者，亦如同高家仲等举用豢养。」

orin sunja yan i gung be jaciba jifi faitaha. nadan fere de genehe singgiya isinjiha. orin ninggun de unggihe bithei gisun, hai jeo i ts'ang, simiyan i ts'ang de jeku alime gaiha hafasa, suwe gaijara jeku be tondoi gaisu, gaiha jeku be

札齊巴來後，銷舒沙蘭二十五兩之功。前往納丹佛呼之興嘉返回。二十六日，致書諭曰：「接管海州倉、瀋陽倉之眾官員，著爾等秉公徵糧，所徵之糧，

札齐巴来后，销舒沙兰二十五两之功。前往纳丹佛呼之兴嘉返回。二十六日，致书谕曰：「接管海州仓、沈阳仓之众官员，着尔等秉公征粮，所征之粮，

asararakū, te bumbi kai. suwe menggun basa gaifi, jeku be
ekiyehun gaifi buci, isirakū ohode ainambi. cohono i emde
yungšun i nirui niyalma, sio yan de alban i jeku bošome
genehe be, sio yan i nikasa jafafi ubašame huthufi sejen de

毋庸存貯，今即散給也。倘爾等因徵銀錢減徵糧食，而不
敷散放時，將如之何？」綽霍諾依與永順牛彔屬下之人，
一同前往岫巖催徵官糧，岫巖之漢人執而叛縛，

毋庸存贮，今即散给也。倘尔等因征银钱减征粮食，而不
敷散放时，将如之何？」绰霍诺依与永顺牛彔属下之人，
一同前往岫岩催征官粮，岫岩之汉人执而叛缚，

tebufi gamame genefi, musei anafu i cooha tehe akdun be
safi, tere niyalma be wafi, nikasa ceni beye amasi bedereme
jifi alin de tafakabi. tere niyalmai emde genehe gucu, gašan i
nikan be jafafi oforo šan tokome angga

車載帶去。見我戍兵駐守森嚴，竟殺其人，漢人自身退回
上山。其同往之夥伴，拏獲屯中漢人，刺耳、鼻，

车载带去。见我戍兵驻守森严，竟杀其人，汉人自身退回
上山。其同往之伙伴，拏获屯中汉人，刺耳、鼻，

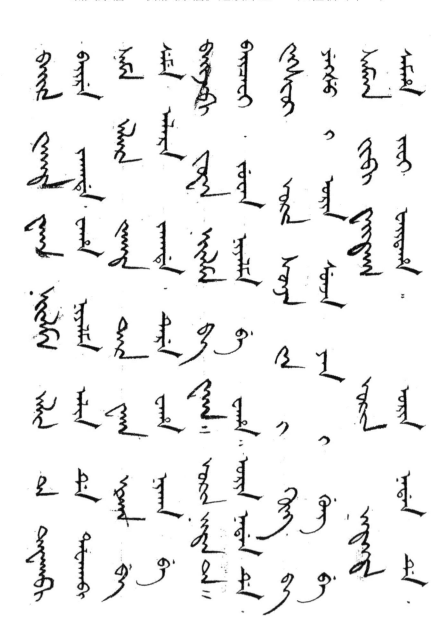

baire jakade, waha niyalma alin de tafakabi seme alara
jakade, tere waha nikan be baicafi, juwan niyalma be waha.
orin nadan de, yekšu i orin sunja yan i gung be samha jifi
faitaha. orin nadan de,

取口供，供出殺人者業已上山。查其殺人之漢人，殺其十
人。二十七日，薩木哈來後，銷葉克舒二十五兩之功。二
十七日，

取口供，供出杀人者业已上山。查其杀人之汉人，杀其十
人。二十七日，萨木哈来后，销叶克舒二十五两之功。二
十七日，

十九、漢人餽贈

hahana i uyunju yan i gung faitaha. han i bithe, orin jakūn de wasimbuha, jušen, nikan i hafasa de meni meni goiha nikan aika benjihe de, nimaha, ulhūma, bigan i niyehe, tubihe alime gaisu, ihan, honin, niman, ulgiyan,

---

銷哈哈納九十兩之功。二十八日，汗頒書諭曰：「諸申、漢人官員各自分管之漢人若有饋贈，可接受其魚、野雞、野鴨、果子等，勿接受其牛、羊、山羊、豬、

銷哈哈納九十兩之功。二十八日，汗頒书谕曰：「诸申、汉人官员各自分管之汉人若有馈赠，可接受其鱼、野鸡、野鸭、果子等，勿接受其牛、羊、山羊、猪、

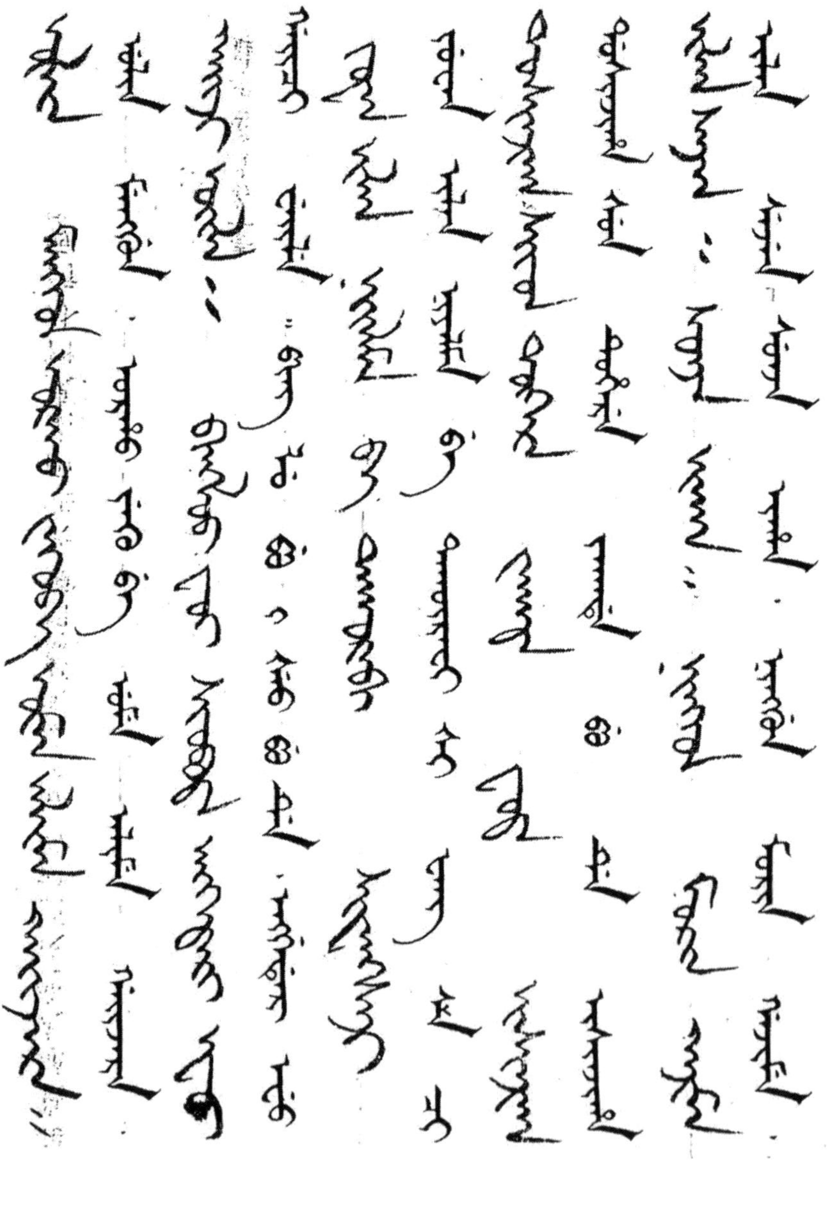

ulin, menggun, orho jeku be ume alime gaijara, gaici weile.
ping lu pu i šeo pu de, enggeder efu juwan ilan niyalma be
takūrafi ši fang sy ci dosinjiha, šun tuhere jakade pu de
isinjiha, ilan sejen, sunja ihan, ninggun morin gajime,

錢財、銀兩、糧草，若接受即罪之。」恩格德爾額駙遣十
三人往平虜堡守堡處，其所遣之人自十方寺進入，日落時
來到該堡，攜車三輛、牛五頭、馬六匹，

钱财、银两、粮草，若接受即罪之。」恩格德尔额驸遣十
三人往平虏堡守堡处，其所遣之人自十方寺进入，日落时
来到该堡，携车三辆、牛五头、马六匹，

ini fe asarabuha bele, ufa, tubihe be gaji seme jihebi. bele, ufa, tubihe be jušen baksi genefi bithe araha, du tang de fonjifi jidere seme ilibuhabi. ere gisun be han de fonjire jakade, ufa

運來其舊貯之米、麵、果等。由諸申巴克什前往將米、麵、果繕文，問於都堂而未來，即以此言問於汗，

运来其旧贮之米、面、果等。由诸申巴克什前往将米、面、果缮文，问于都堂而未来，即以此言问于汗，

tubihe be bufi unggihe. orin uyun de, baduhū i gūsin yan i gung be jaciba jifi faitaha. fu jeo, sio yan i sidende nacibu, hūsi tembi. sio yan de baban, gaha tembi. saimagi de hūsimu, aidaha sencehe tembi. ese de

---

命給麵、果而遣之。二十九日，札齊巴來後，銷巴都虎三十兩之功。納齊布、胡希駐復州、岫巖之間。巴班、噶哈駐岫巖。胡希穆、愛達哈森車赫駐賽馬吉。

命给面、果而遣之。二十九日，札齐巴来后，销巴都虎三十两之功。纳齐布、胡希驻复州、岫岩之间。巴班、噶哈驻岫岩。胡希穆、爱达哈森车赫驻赛马吉。

二十、行軍裝備

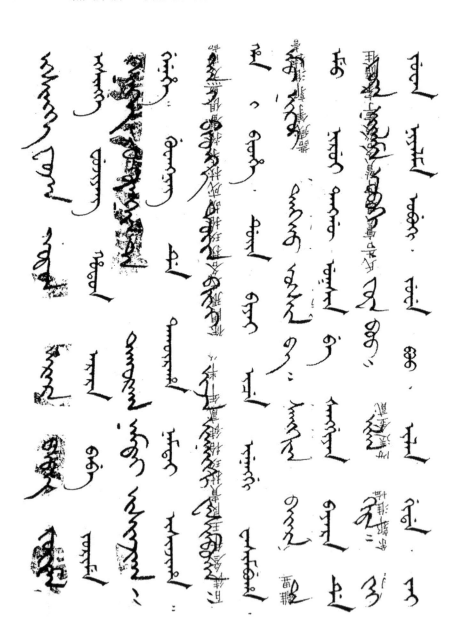

eksingge fujiyang hoton arara babe jorime genehe. guwangning de takūraha namtai isinjiha. han i bithe, duin biyai ice inenggi wasimbuha, emu nirui tanggū uksin be šanggiyan bayara de juwan niyalma obuki, juwe poo, ilan gida. jai

---

額克興額副將與之同往，指示築城基址。遣往廣寧之納木泰到達。四月初一日，汗頒書諭曰：「著每牛彔遣披甲百人，以十人為白巴牙喇，攜礮二門、槍三枝；

额克兴额副将与之同往，指示筑城基址。遣往广宁之纳木泰到达。四月初一日，汗颁书谕曰：「着每牛彔遣披甲百人，以十人为白巴牙喇，携炮二门、枪三枝；

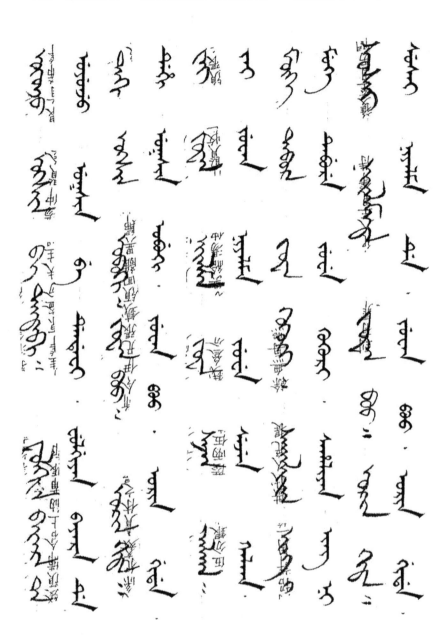

uyunju uksin be dendefi, fulgiyan bayara de dehi uksin obuki, juwan poo, orin gida. jai juwan niyalma juwe sejen kalka, muke tebure juwe kukuri, sahaliyan ing ni susai niyalma de, juwan poo, orin gida.

再將披甲九十人分之，其披甲四十人為紅巴牙喇，攜礮十門、槍二十枝；又十人攜楯車二輛、扁平背壺二個。黑營五十人，攜礮十門、槍二十枝；

再將披甲九十人分之，其披甲四十人为红巴牙喇，携炮十门、枪二十枝；又十人携楯车二辆、扁平背壶二个。黑营五十人，携炮十门、枪二十枝；

jai orin niyalma de, juwe sejen kalka, emu wan, juwe sacikū, juwe bon, juwe dehe, juwe hadufun, juwe suhe, duin derhi, juwe fasilan, emu lasihikū, muke tebure juwe kukuri, emu biya dabure yaha, tofohon olbo. emu

---

再二十人攜楯車二輛、梯一架、鑿子二把、鐵鑹二把、釣鈎二個、鐮刀二把、斧二把、蓆四領、叉二把、梢子棍一根、扁平背壺二個及一個月用之木炭、綿甲十五副。

再二十人携楯车二辆、梯一架、凿子二把、铁鑹二把、钓钩二个、镰刀二把、斧二把、席四领、叉二把、梢子棍一根、扁平背壶二个及一个月用之木炭、绵甲十五副。

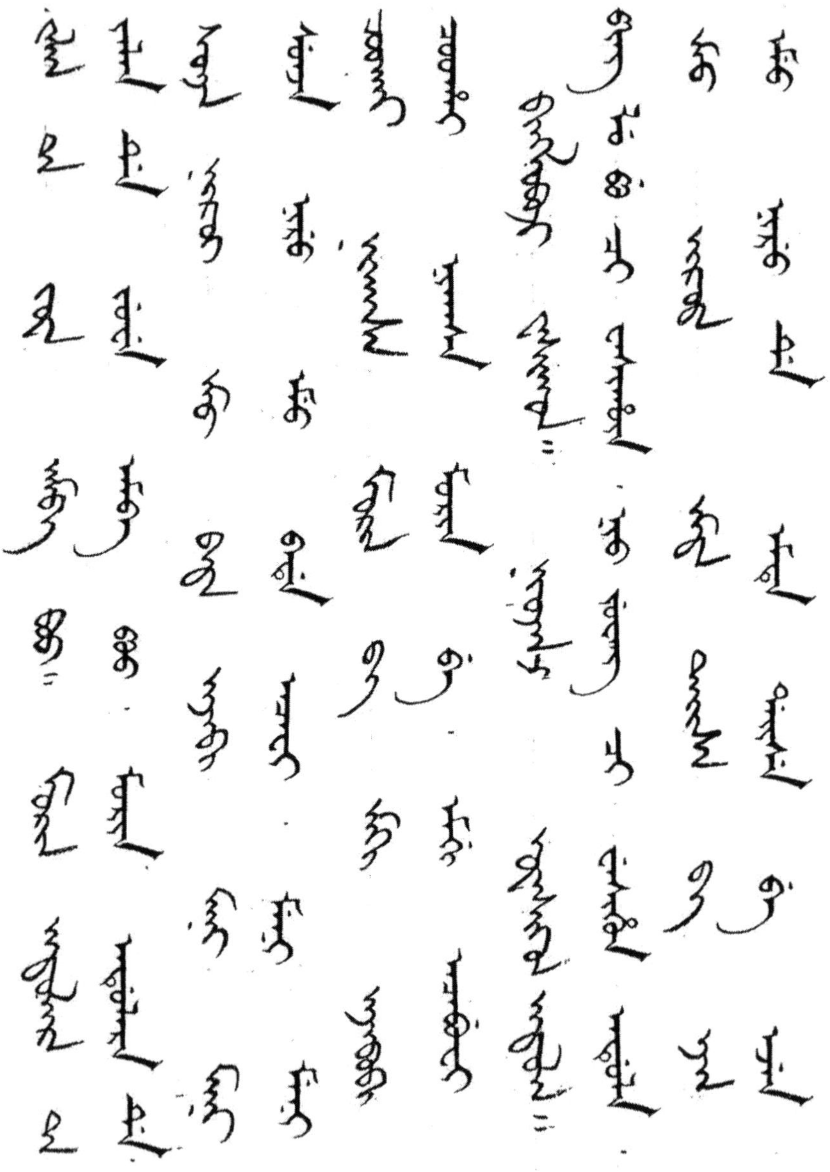

jalan de juwe amba poo. morin adulara de, sunja niru emu
bade acafi, meni meni coohai nikasa morin be emgi acabufi,
ping lu pu ci wasihūn, nio juwang ci wesihun adula, emu
niru de emte daise be ejen

每一甲喇攜大礮二門。牧馬時，五牛彔合為一處，各漢軍
之馬亦合之，牧馬於平虜堡以西、牛莊以東，每牛彔遣代
子一人為首領。

每一甲喇携大炮二门。牧马时，五牛彔合为一处，各汉军
之马亦合之，牧马于平虏堡以西、牛庄以东，每牛彔遣代
子一人为首领。

arafi unggi. jušen, nikan, monggo juwan morin de, emu
niyalma be tuwakiyabu. morin ukanju gamara, hūlha de
hūlhabure, jušen i morin tarhūn, nikan i morin turga oci,
gaifi genehe daise de weile. emu niru juwete

諸申、漢人、蒙古之馬，每十匹以一人看守。馬匹若被逃
人取去，或被盜賊竊去，及諸申之馬肥、漢人之馬瘦，則
罪其率往之代子。

諸申、汉人、蒙古之马，每十匹以一人看守。马匹若被逃
人取去，或被盗贼窃去，及诸申之马肥、汉人之马瘦，则
罪其率往之代子。

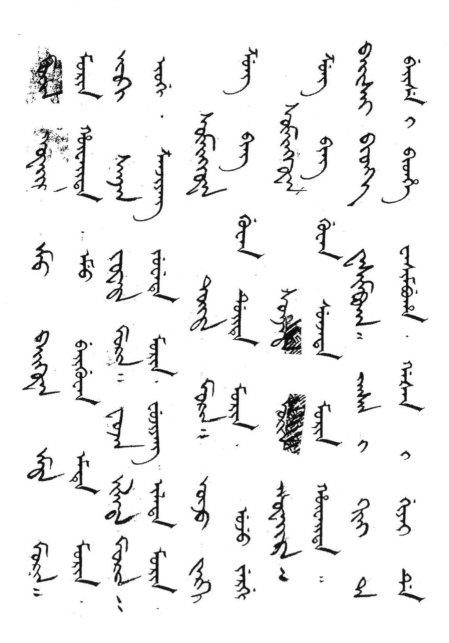

morin hūwaita, emu beiguwan emte morin, iogi, ts'anjiyang juwete morin, fujiyang ilata morin, dzung bing guwan duite morin, uju jergi dzung bing guwan sunjata morin hūwaita. beise i bithe wasimbuha, gašan i giyai de

每一牛彔拴馬各二匹，每一備禦官拴馬各一匹，遊擊、參將拴馬各二匹，副將拴馬各三匹，總兵官拴馬各四匹，頭等總兵官拴馬各五匹。」諸貝勒頒書諭曰：「屯中街道

每一牛彔拴马各二匹，每一备御官拴马各一匹，游击、参将拴马各二匹，副将拴马各三匹，总兵官拴马各四匹，头等总兵官拴马各五匹。」诸贝勒颁书谕曰：「屯中街道

二十一、虛張聲勢

tebuhe hija be gemu nakabufi, gašan i tule goro bade hija
tebu. gašan i giyai de hija tebuhe be saha de, tuwa bošoro
niyalma de weile. ice juwe de, sele age i tofohon yan i ejehe
gung be jaciba

所設火爐皆停用，改於屯外遠處設爐。若見有設爐於屯中
街道時，即罪及督查防火之人。初二日，札齊巴來後，銷
色勒阿哥十五兩所記之功。

所设火炉皆停用，改于屯外远处设炉。若见有设炉于屯中
街道时，即罪及督查防火之人。初二日，札齐巴来后，销
色勒阿哥十五两所记之功。

jifi faitaha. niyanioke beiguwan i hergen be wesibufi, ini
ama i ts'anjiyang ni hergen buhe. deo ši tiyan ju funde, ahūn
ši guwe ju be iogi obuha. ice ilan de, nikan i šanaha ci emu
medege gaijara nikan

陞尼雅鈕克備禦官之職，以其父參將之職授之。著弟石天
柱代其兄石國柱為遊擊。初三日，明山海關來一探信漢人

升尼雅钮克备御官之职，以其父参将之职授之。着弟石天
柱代其兄石国柱为游击。初三日，明山海关来一探信汉人

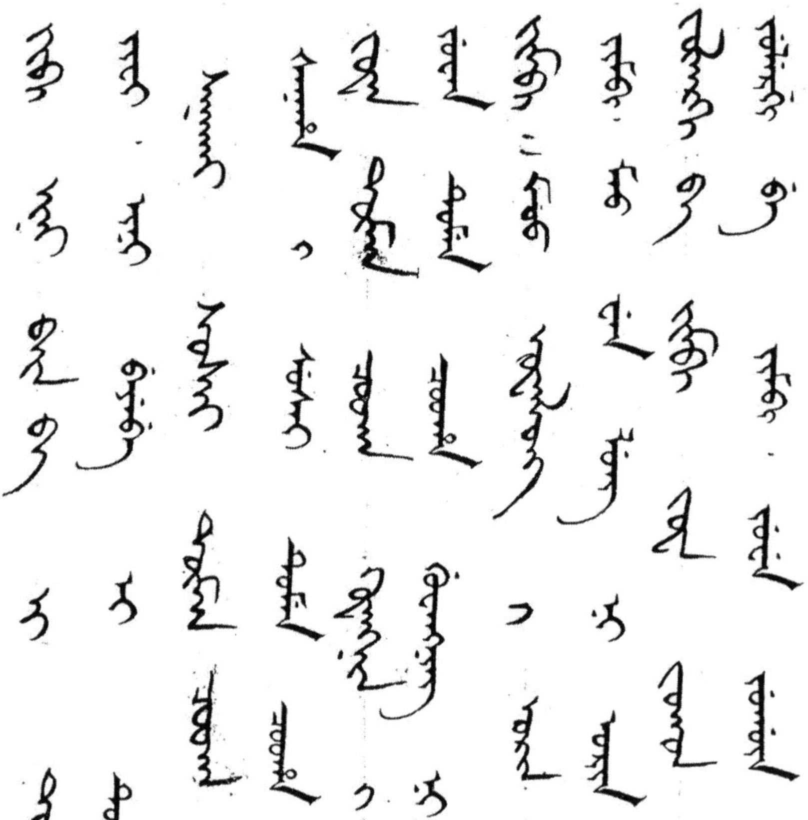

jifi, ini beyebe i tucibume alame, šanaha i susai tumen cooha
de, monggo juwan tumen cooha guwangning ni jugūn be
jimbi, mao wen lung ni orin tumen cooha julergi be jimbi.
juwe jugūn cooha, gemu

自首曰：「山海關有兵五十萬人，其中蒙古兵十萬人取廣
寧路而來，毛文龍二十萬人取南路而來。兩路之兵，

自首曰：「山海关有兵五十万人，其中蒙古兵十万人取广
宁路而来，毛文龙二十万人取南路而来。两路之兵，

ere duin biyai juwan uyun de isinjime jimbi seme alaha manggi, si emhun jiheo. gucu jihebio seme fonjici, emu gucu jihe bihe, bi alafi ubade banjimbi seme hendure jakade, gucu amasi genehe seme jabure jakade,

皆於今四月十九日到達。」問曰：「爾單獨前來嗎？有同伴前來嗎？」答曰：「曾有一同伴前來，因我言及欲來此地謀生，同伴即回去。」

皆于今四月十九日到达。」问曰：「尔单独前来吗？有同伴前来吗？」答曰：「曾有一同伴前来，因我言及欲来此地谋生，同伴即回去。」

ᠪᠢ
ᠪᠣᠣ
ᠰᠠᠮᠪᠢ᠂
ᠠᠮᠪᠠ

ᠪᠠᠢᠨᠠᠮᠪᡳ
ᠰᡳᠮᡳᠶᠠᠨ

ᠯᠠᠪᠳᡠ
ᠪᠢᡨᡠᠪᠠ
ᠠᠯᡳᠮᠠᠮᠪᡳ᠂
ᡝᡳᠨᡝ

ᠵᠠᡳ
ᠮᡠᠰᡝ
ᠶᠠᠮᠠᠨ
ᠰᠠᠩᠨᠠᡵᠠ

ᠮᡠᠰᡝ
ᠯᠠᠪᠳᡠ
ᠪᡠᠶᠠᡵᠠᠪᠠ
ᠠᠨᠠᠮᠪᡳ
ᡥᡝᠨᡩᡠᠮᡝᡳ

ᠠᠮᠪᠠ
ᡤᡝᠨᡤᡳᠶᡝᠨ
ᠠᡳᠰᡳᠯᠠᠮᠪᡳ᠂
ᠪᡝ
ᡥᡝᠨᡩᡠᠮᡝᡳ

ᠪᠠᠰᠠ
ᠠᠮᠪᠠ
ᠵᠠᠰᠠᠪᡳ᠂

si unenggi ubade banjici, gucu be ainu alarakū, jortai iletu gisureme algin sindame sartabume jihebi kai seme waha. alban i fetehe menggun uyun tanggū gūsin yan, aisin ninggun yan nadan jiha benjire jakade,

乃曰：「爾若誠心來此地謀生，為何不將其同伴告之。顯係有意虛張聲勢，以誤我軍機也。」遂殺之。送來官掘銀九百三十兩、金六兩七錢。

乃曰：「尔若诚心来此地谋生，为何不将其同伴告之。显系有意虚张声势，以误我军机也。」遂杀之。送来官掘银九百三十两、金六两七钱。

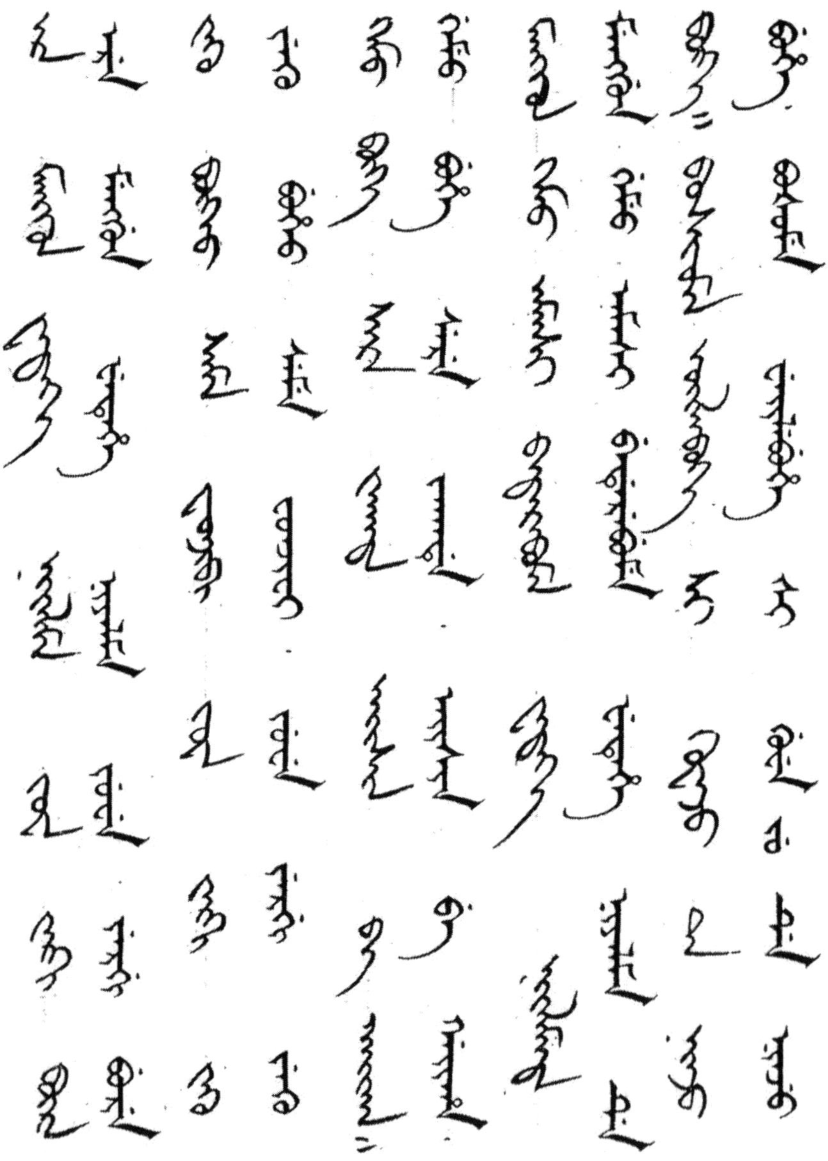

ere menggun fetehe niyalma juwe jergi bure jeku buheo
seme fonjifi, juwe jergi jeku gemu buhe sere jakade, aisin be
gaiha, menggun gemu amasi bederebume fetehe niyalma de
buhe. bošome weilebuhe ši guwe ju de ninju

問曰:「此掘銀之人是否已繳應納二次之糧?」對曰:「二
次糧皆已繳納。」遂收其金,其銀皆退還,分給掘銀之人。
給督辦石國柱六十兩,

问曰:「此掘银之人是否已缴应纳二次之粮?」对曰:「二
次粮皆已缴纳。」遂收其金,其银皆退还,分给掘银之人。
给督办石国柱六十两,

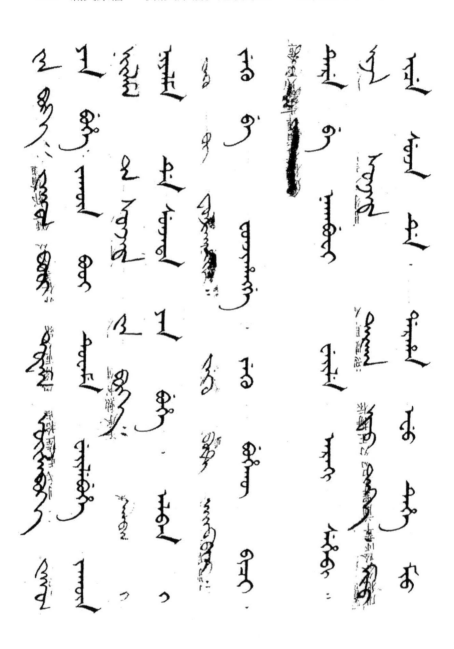

yan buhe, jakūn booi tuwame weilebuhe jakūn niyalma de sunjata yan buhe. alban i jeku be fonjihangge, jeku buhekū bici, tere be nakabufi weile araki sehebi. ice sunja de, darhan efu tehe mio

給八家監工之八人各五兩。所詢問之官糧，倘若未納，則將其革除治罪。初五日，達爾漢額駙

給八家监工之八人各五两。所询问之官粮，倘若未纳，则将其革除治罪。初五日，达尔汉额驸

二十二、私藏軍械

mawai baci nadanju niyalma bahafi benjihe. hoto tehe cing
tai ioi baci nadanju niyalma, ninggun morin bahafi benjihe.
du tang ni bithe, ice ninggun de wasimbuha, baban, nacibu i
jergi jakūn gūsai emte amban be hoton ara

自所駐繆瑪崴地方獲七十人解來。霍托自所駐青苔峪地方
獲七十人、馬六匹解來。初六日，都堂頒書曰：「曾令巴
班、納齊布等八旗遣大臣各一人築城，

自所驻繆玛崴地方获七十人解来。霍托自所驻青苔峪地方
获七十人、马六匹解来。初六日，都堂颁书曰：「曾令巴
班、纳齐布等八旗遣大臣各一人筑城，

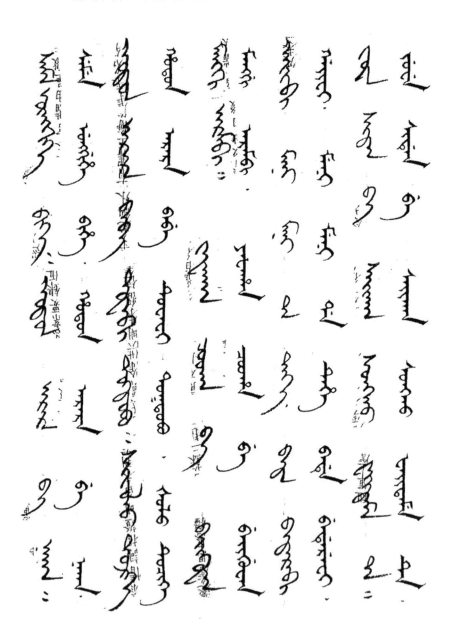

seme unggihe bihe, hoton arara be naka, hoton arara babe
tuwafi toktobu, šolo tucike manggi arambi. yafahan cooha be
beiguwan gaifi, meni meni da tehe bade bederefi, juwe siden
be saikan songko faitame te.

今令停止築城，先行勘定築城基址，俟有暇時再行修築。
著備禦官率步兵返回各自原駐地，於兩處交界之間善加尋
踪駐守。

今令停止筑城，先行勘定筑城基址，俟有暇时再行修筑。
着备御官率步兵返回各自原驻地，于两处交界之间善加寻
踪驻守。

baban, nacibu i jergi ambasa, inu meni meni gūsai yafahan
be gaifi, tehe beiguwan i dade genefi te. irešen, afuni de
goiha soosoi, san šan ioi, sio ioli, janja sui se ere duin gašan
i juwe minggan haha,

巴班、納齊布等大臣亦率各旗步兵，前往備禦官所駐地方
駐守。」伊勒慎、阿福尼分管之曹穗、三山峪、岫尤里、
瞻札綏色此四屯二千男丁，

巴班、纳齐布等大臣亦率各旗步兵，前往备御官所驻地方
驻守。」伊勒慎、阿福尼分管之曹穗、三山峪、岫尤里、
瞻札绥色此四屯二千男丁，

juse hehe be gamame julesi ubašame genere be, jase
jakarame tehe coohai niyalma amcafi haha be gemu waha.
juse hehe be olji araha. du tang ni bithe, duin biyai ice
ninggun de wasimbuha, nikan i coohai niyalma,

攜其婦孺往南叛逃，被沿邊駐守兵丁追及，皆殺其男丁，
俘其婦孺。四月初六日，都堂頒書曰：「漢人兵丁

携其妇孺往南叛逃，被沿边驻守兵丁追及，皆杀其男丁，
俘其妇孺。四月初六日，都堂颁书曰：「汉人兵丁

baisin niyalma, yaya de bisire beri, sirdan, loho, gida, poo coohai agūra be, orin ci dosi, meni meni kadalara hafan de benju. orin ci casi, coohai agūra be benjihekū asarahabi seme gercilehe de, ujen weile

---

及百姓，凡有弓、矢、刀、槍、礮等軍械者，限於二十日內送交各該管官員。逾二十日未送交軍械而收藏者，被人首告時，則治以重罪。

及百姓，凡有弓、矢、刀、枪、炮等军械者，限于二十日內送交各该管官员。逾二十日未送交军械而收藏者，被人首告时，则治以重罪。

arambi. nikan faksisa sirdan, loho, gida coohai agūra be uncara be naka, juwan ci casi uncaci, uncaha niyalma de weile, udaci udaha niyalma de weile. coohai agūra be meni meni harangga niyalma benjime

---

禁止漢人工匠售賣箭、刀、槍等軍械，十日前出售者，則罪其售賣之人，購買時，則罪其購買之人。

禁止汉人工匠售卖箭、刀、枪等军械，十日前出售者，则罪其售卖之人，购买时，则罪其购买之人。

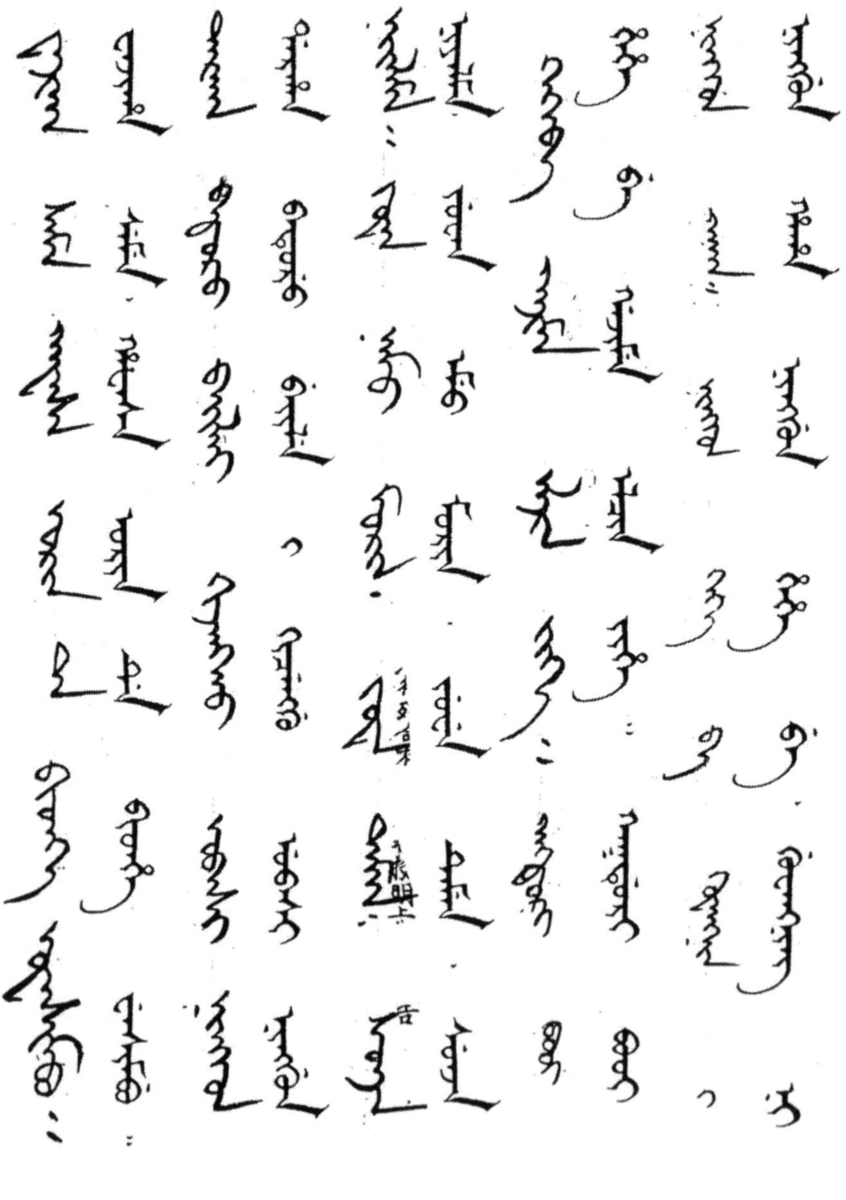

wajiha seme, hafasa orin de bithe wesimbu. darhan baturu beile i kicenggu, ubasi ninggun niyalma, juwan emu morin, juwe temen, sunja hehe be gajime elcin jihe. kakduri booi ninggun haha, ninggun hehe be, guwangning ni

該管官員須於二十日具奏，各將所屬人眾將軍械送交完竣。」達爾漢巴圖魯貝勒之使者齊成克、烏巴錫率六人，攜馬十一匹、駝二隻、婦女五人前來。廣寧張參將偷拐喀克都里家之男丁六人、婦女六人，

该管官员须于二十日具奏，各将所属人众将军械送交完竣。」达尔汉巴图鲁贝勒之使者齐成克、乌巴锡率六人，携马十一匹、驼二只、妇女五人前来。广宁张参将偷拐喀克都里家之男丁六人、妇女六人，

二十三、佩弓帶箭

jang ts'anjiyang hūlhame gamafi, singgebume baharakū benjihe manggi, jang ts'anjiyang de weile arafi, booi aha, ihan, morin, ai jaka be ilan ubu sindafi, juwe ubu be ejen de buhe, emu ubu be šajin i niyalma gaiha. juwe

私佔不成而送回後，治張參將以罪，將其家奴、牛、馬及一應物件分放三份，二份給其主，一份由執法之人取之。

私占不成而送回后，治张参将以罪，将其家奴、牛、马及一应物件分放三份，二份给其主，一份由执法之人取之。

eigen, emu hehe be kakduri de toodabuha. ninggun haha,
ninggun hehe ukaci, jang ts'anjiyang de toodame gaimbi.
dodo age i lang iogi i wei yūn deng daise beiguwan bihe,
mao wen lung ni giyansi jihe niyalma be

二夫、一女歸還喀克都里。有男丁六人、婦女六人潛逃，
責令張參將償還之。多鐸阿哥所管郎遊擊屬下魏雲登原任
代理備禦官，因擒獲毛文龍遣來奸細之人，

二夫、一女归还喀克都里。有男丁六人、妇女六人潜逃，
责令张参将偿还之。多铎阿哥所管郎游击属下魏云登原任
代理备御官，因擒获毛文龙遣来奸细之人，

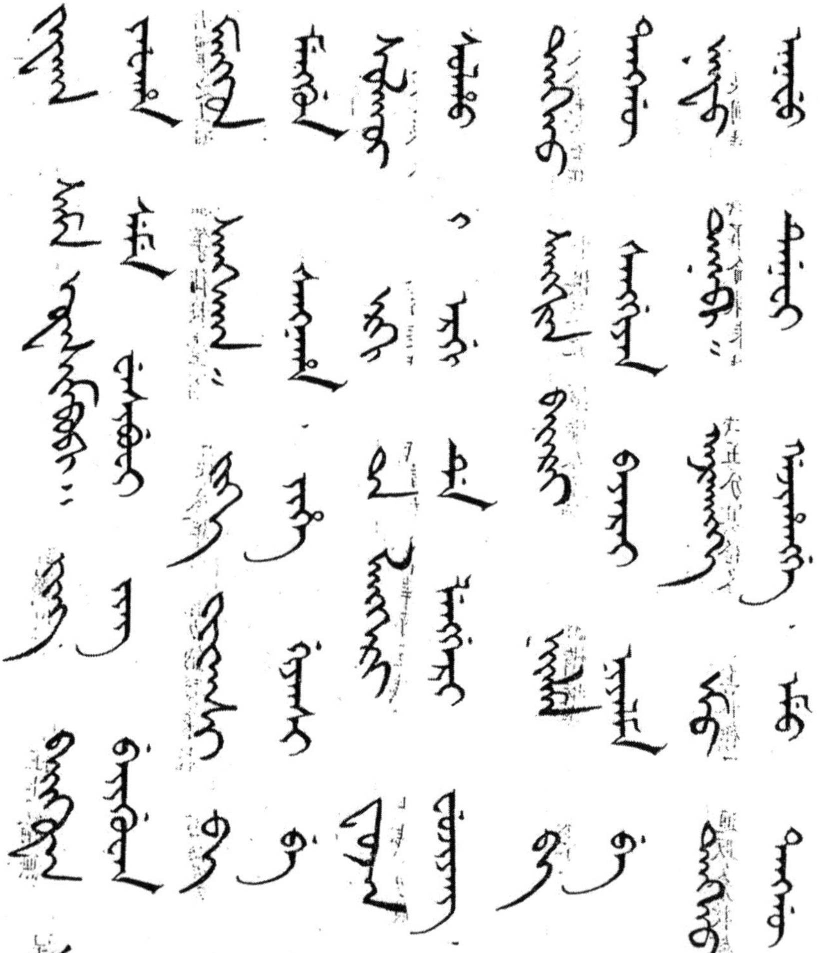

jafaha seme wesibufi jing beiguwan obuha, menggun šangnaha, jihe giyansi be waha. solho i ergi de lenggeri fujiyang, duin tanggū šanggiyan bayarai niyalma be gaifi anafu tenefi, gajihangge, emu tanggū juwan

陞為正備禦官，並賞給銀兩，殺其前來之奸細。冷格里副將率白巴牙喇四百人戍守於朝鮮邊界，

升为正备御官，并赏给银两，杀其前来之奸细。冷格里副将率白巴牙喇四百人戍守于朝鲜边界，

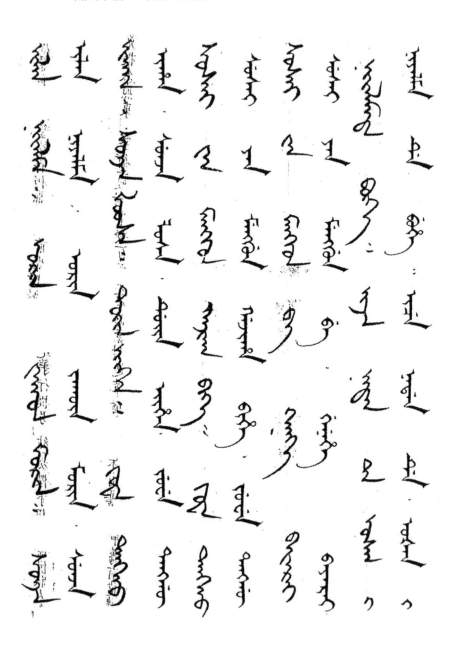

ilan niyalma, orin jakūn morin, sunja ihan, sunja losa, duin
eihen, juwe tanggū susai yan menggun gajiha bihe. juwe
tanggū susai yan menggun be, genehe bayarai niyalma de
buhe. ice nadan de, ošan i

曾獲人一百一十三名、馬二十八匹、牛五頭、騾五隻、驢
四隻、銀二百五十兩攜至。將銀二百五十兩給與前往巴牙
喇之人。初七日，

曾获人一百一十三名、马二十八匹、牛五头、骡五只、驴
四只、银二百五十两携至。将银二百五十两给与前往巴牙
喇之人。初七日，

nirui namida hari be, gūwa niyalma wei ning ni ebele amba jugūn de butuleme wahabi seme alanjire jakade, han donjifi, namida hari beri, jebele ashaha biheo seme fonjici, jebele beri akū seme alara jakade, jebele,

有人來告，鄂善牛彔下納米達哈里被人暗殺於威寧這邊大路等語。汗聞後問曰：「納米達哈里曾佩弓箭、撒袋乎？」告曰：「無撒袋、弓箭。」

有人来告，鄂善牛彔下纳米达哈里被人暗杀于威宁这边大路等语。汗闻后问曰：「纳米达哈里曾佩弓箭、撒袋乎？」告曰：「无撒袋、弓箭。」

beri ainu asharakū sula yabumbi. dain i ba kai seme han jili
banjifi, giran jafara unde oci, yali be faitarafi waliya. giran
jafaci, jafaha giran be so, etuku ume sindara seme nakabuha.
jai geren ambasa be isabufi,

汗怒曰：「為何不佩撒袋、弓箭閒走？軍旅之地也！倘若
尚未火化，則割其肉拋之。若已火化，則將其骨灰撒之，
勿置壽衣。」又召集眾大臣曰：

汗怒曰：「为何不佩撒袋、弓箭闲走？军旅之地也！倘若
尚未火化，则割其肉拋之。若已火化，则将其骨灰撒之，
勿置寿衣。」又召集众大臣曰：

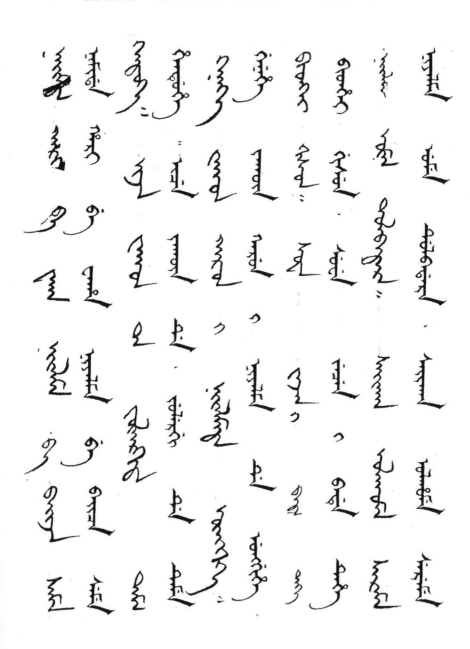

namida hari be waha niyalma be baica seme henduhe. ice jakūn de, julergi de teme genehe jakūn karun i niyalma de unggihe bithei gisun, suwe jecen i bade tehe niyalma ume dulbadara, saikan olhome sereme

---

「著詳查殺納米達哈里之人。」初八日，致書於駐南邊八卡倫之人諭曰：「爾等駐守邊境地方之人，切勿疏忽大意，當善加謹慎警覺，盡心防守。

「着详查杀纳米达哈里之人。」初八日，致书于驻南边八卡伦之人谕曰：「尔等驻守边境地方之人，切勿疏忽大意，当善加谨慎警觉，尽心防守。

akūmbure be gūni. fejergi buya niyalmai gisun de dosifi, han i tacibuha gisun be jurceme, hūlha holo mujilen jafafi sula heolen oci, suweni beye de jobolon isimbi kai. han i gisun be jurcerakū, olhome sereme

若聽信屬下小人之言，違悖汗之訓諭，存賊盜之心，疏忽怠惰，則爾等之身必招禍患也。不違悖汗之訓諭，謹慎警覺，

若听信属下小人之言，违悖汗之训谕，存贼盗之心，疏忽怠惰，则尔等之身必招祸患也。不违悖汗之训谕，谨慎警觉，

二十四、城門舉纛

tondoi akūmbufi, han de sain sabuci, suwende gung kai. han
i bithe, ice jakūn de wasimbuha, emu nirui emu janggin gaifi
morin adula, emu janggin coohai agūra be bošome weilebu,
emu janggin usin bošome weilebu.

盡忠圖報，若見善於汗，則必記爾等之功也。」初八日，
汗頒書諭曰：「著每牛彔由一章京率領牧馬[19]，一章京催
造軍械，一章京催種田地。」

尽忠图报，若见善于汗，则必记尔等之功也。」初八日，
汗颁书谕曰：「着每牛彔由一章京率领牧马，一章京催造
军械，一章京催种田地。」

[19] 牧馬，《滿文原檔》、《滿文老檔》俱讀作 "morin adula"，句中
"adula" 為命令式，動詞原形讀作 "adulambi"，係蒙文 "aduɣulaqu"
借詞（根詞 "adula-" 與 "aduɣula-" 相同），意即「放牧」。

eksingge fujiyang, saimagi, sio yan i babe hoton arambi seme tuwanafi jihe. han i bithe, ice uyun de wasimbuha, han i duka de, hecen i duka de suwayan tu tukiyehe de, hergen bisire niyalma gemu han i duka de

---

額克興額副將前往賽馬吉、岫巖等地視察築城基址後回來。初九日，汗頒書諭曰：「汗門與城門舉黃纛時，乃是有職之人皆須集於汗門，

額克興額副將前往賽馬吉、岫岩等地視察筑城基址后回來。初九日，汗頒書諭曰：「汗門与城門舉黃纛时，乃是有職之人皆須集于汗門，

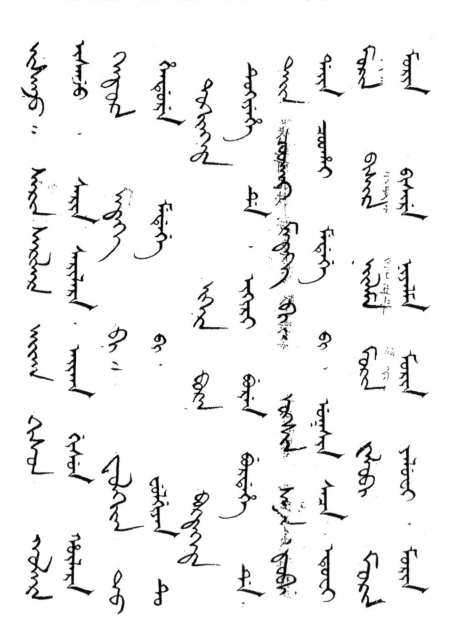

isanju, sarin sarilara, aika gisun hūlara hendure medege bi.
fulgiyan tu tukiyehe de, ikiri buren burdehe de, dain coohai
medege bi, uksin saca etufi, morin bisire niyalma morin
yalufi, morin

必有筵宴，或宣讀諭旨，傳達信息之事。舉紅纛連吹海螺
時，乃有戰事信號，須穿盔甲，有馬之人騎馬，

必有筵宴，或宣读谕旨，传达信息之事。举红纛连吹海螺
时，乃有战事信号，须穿盔甲，有马之人骑马，

akū niyalma yafahan meni meni teisu gašan i dubede ilinafi,
beiguwan ci wesihun, gūsai beile i duka de medege gaisu.
šanggiyan tu tukiyehe de, poo sindaha de, ukanju ukaka
medege bi, olbo etufi

無馬之人步行，各自按職分至屯外列陣。自備禦官以上至
旗貝勒門聽信。舉白纛鳴礮時，乃逃人潛逃之信號，各穿
綿甲，

无马之人步行，各自按职分至屯外列阵。自备御官以上至
旗贝勒门听信。举白纛鸣炮时，乃逃人潜逃之信号，各穿
绵甲，

jebele ashafi hūwaitaha morin yalufi jio. juwan de, julergi de baha olji ton, niyalma emu minggan, morin, ihan, losa, eihen ilan tanggū seme burgi nirui lumbušan alanjime jihe. juwan emu de,

佩撒袋，乘騎拴養之馬而來。」初十日，布爾吉牛彔下魯木布善來報南方俘獲之數，人一千名，馬、牛、騾、驢共三百隻。十一日，

佩撒袋，乘骑拴养之马而来。」初十日，布尔吉牛彔下鲁木布善来报南方俘获之数，人一千名，马、牛、骡、驴共三百只。十一日，

二十五、諸申善惡

darhan baturu beile i elcin kicenggu ubasi de sunja yan
menggun buhe, kutule de ilan yan menggun, duin šangšaha
efen, emu malu hibsu unggihe. juwan juwe de, jekui baksi
kuri, natai, dayangga, logi, ciyandzung ni

賜達爾漢巴圖魯貝勒之使者齊成古、烏巴錫銀五兩，跟
役[20]銀三兩，並遣人送餑餑四笆斗、蜂蜜一大瓶。十二日，
管糧巴克什庫里、納泰、達揚阿、羅吉，

賜达尔汉巴图鲁贝勒之使者齐成古、乌巴锡银五两，跟役
银三两，并遣人送饽饽四笆斗、蜂蜜一大瓶。十二日，管
粮巴克什库里、纳泰、达扬阿、罗吉，

---

[20] 跟役，《滿文原檔》寫作 "kutusi"，《滿文老檔》讀作 "kutule"。
按滿文 "kutulembi"係蒙文"kötölkü"（根詞 "kutule-"與 "kötöl-"
相仿），意即「牽拉（馬匹、人畜）」。

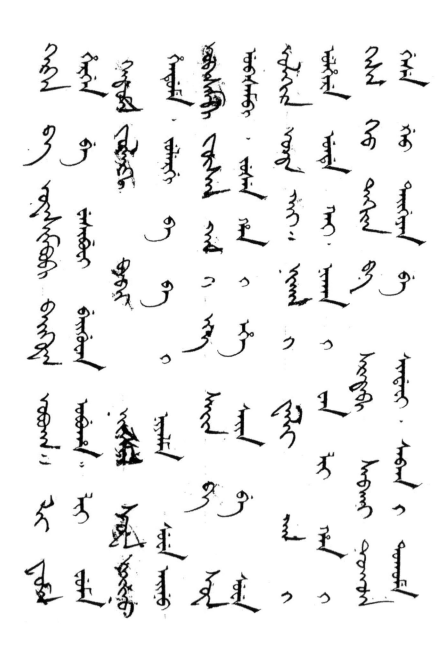

hergen be wesibufi beiguwan obuha. lii fuma hendume,
julergi ba ba i niyalma suwe ainu ubašambi. jušen han i ehe
sain be, suwe ulhire unde kai, nikan i wan lii han i gese g'ao
taigiyan be sindafi, sabka i tokome

由千總之職陞為備禦官。李駙馬曰：「爾等南方各地之人
為何叛逃？諸申汗之善惡，爾等尚未知曉也，非如明萬曆
帝縱放高太監，任意勒索[21]

由千总之职升为备御官。李驸马曰：「尔等南方各地之人
为何叛逃？诸申汗之善恶，尔等尚未知晓也，非如明万历
帝纵放高太监，任意勒索

---

[21] 勒索，《滿文原檔》寫作 "sabkai tokoma(e)"，《滿文老檔》讀作
　　"sabka i tokome"，意即「用筷子戳刺」，乃譬喻詞。勒索，規範
　　滿文讀作"gejurembi、ergeleme gaimbi、leheme gaimbi"。

menggun gaihakūbi, liyoodung be baha manggi, meni meni tehe boo, tariha usin be umai acinggiyahakū tehei bihe. mao wen lung ni šusihiyere gisun de dosifi, julergi mederi jakarame tehe gurun mini niyalma be wafi

---

銀兩。得遼東後，未動爾等各人所住房屋、所耕田地，相安而居。沿南海所居國人，因聽信毛文龍挑唆之言，殺我之人

銀兩。得辽东后，未动尔等各人所住房屋、所耕田地，相安而居。沿南海所居国人，因听信毛文龙挑唆之言，杀我之人

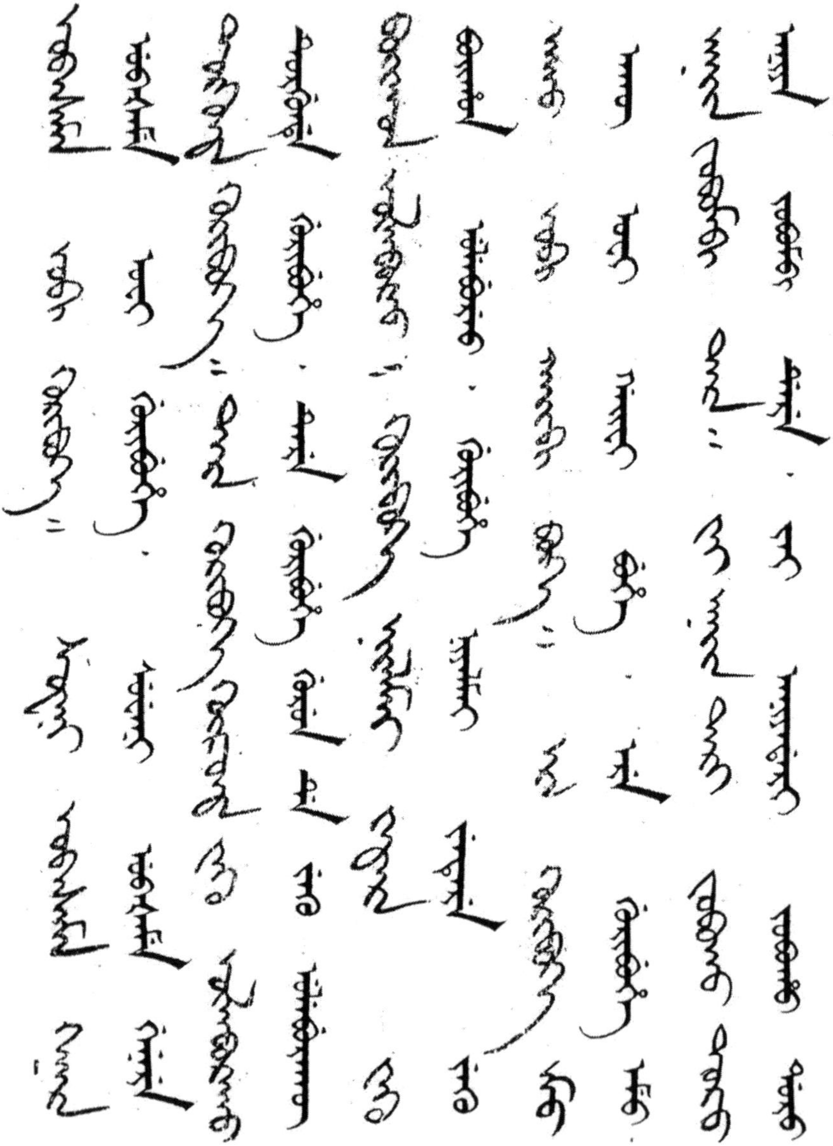

ubašame ofi guribuhe. suweni ubašame genere turgunde
guribuhe, tere guribuhe gurun de jeku uleburakū boihon
ulebureo. guribuhe niyalmai jetere jeku akū ofi gaifi buhe.
ere guribuhe emu aniya jobombi dere, jai aniyadari joboho
doro

叛逃，故令遷移之。因爾等叛逃而令遷移，所遷移之國人
不喫糧食，豈食土乎？因遷移之人無食糧，遂取而給之。
遷移之苦，僅此一年，豈有年年受苦之理耶？

叛逃，故令迁移之。因尔等叛逃而令迁移，所迁移之国人
不吃粮食，岂食土乎？因迁移之人无食粮，遂取而给之。
迁移之苦，仅此一年，岂有年年受苦之理耶？

bio. jušen han, nikan han dailandufi we etembi, etehe han de tehei dahafi ekisaka banjicina. suwe coohai niyalma geli waka, bithe coohai hafan geli waka, suwe baisin irgen kai. suwende ai weile bi. suwe banjiha ba,

諸申汗與明帝兵戎相見，孰勝即降服於得勝之汗，平靜度日。爾等又非軍人，又非文武官員，爾等乃平民百姓也，於爾等何罪之有？

诸申汗与明帝兵戎相见，孰胜即降服于得胜之汗，平静度日。尔等又非军人，又非文武官员，尔等乃平民百姓也，于尔等何罪之有？

tehe boo, tariha usin be waliyafi, ubašame genehe seme, we
alime gaifi icihiyame boo, usin bumbi. fusi efu ere bithe be
gamame, fu jeo, g'ai jeo de genehe. subahai ts'anjiyang,
moobari ts'anjiyang emu minggan cooha be

爾等棄生長故土、居住房屋、耕種田地，叛逃前往，孰將
接受爾等，給以房屋、田地？」撫順額駙持此書前往復州、
蓋州。蘇巴海參將、毛巴里參將率兵一千人

尔等弃生长故土、居住房屋、耕种田地，叛逃前往，孰将
接受尔等，给以房屋、田地？」抚顺额驸持此书前往复州、
盖州。苏巴海参将、毛巴里参将率兵一千人

二十六、用兵之道

gaifi, fu jeo, g'ai jeo de anafu teme genehe. cohono julergi golo de tehe nikan de jeku gaime genefi, ini emgi genehe niyalma be, emhun takūrafi nikan de wabuhabi. si emhun ainu takūraha seme niyalma

前往復州、蓋州戍守。綽和諾前往徵收居住南路漢人之糧，因單獨差遣與其同往之人，被漢人所殺。遂以爾為何單獨差遣一人

前往复州、盖州戍守。绰和诺前往征收居住南路汉人之粮，因单独差遣与其同往之人，被汉人所杀。遂以尔为何单独差遣一人

toodame gaiha, orin yan i weile arafi ejehe gung be samha
jifi faitaha. aiha i bada jeku ganame genefi, g'ao el ting ni ba
i niyalma ubašame genere be, songko safi amcafi waha. mao
wen lung ni takūrafi šusihiyeme

─────────

而令償死者，罰銀二十兩，薩木哈來後銷所記之功。靉河
之巴達前往徵糧，知高爾廳地方之人叛逃，躡踪追殺之。
並殺毛文龍遣來挑唆之

─────────

而令偿死者，罚银二十两，萨木哈来后销所记之功。靉河
之巴达前往征粮，知高尔厅地方之人叛逃，蹑踪追杀之。
并杀毛文龙遣来挑唆之

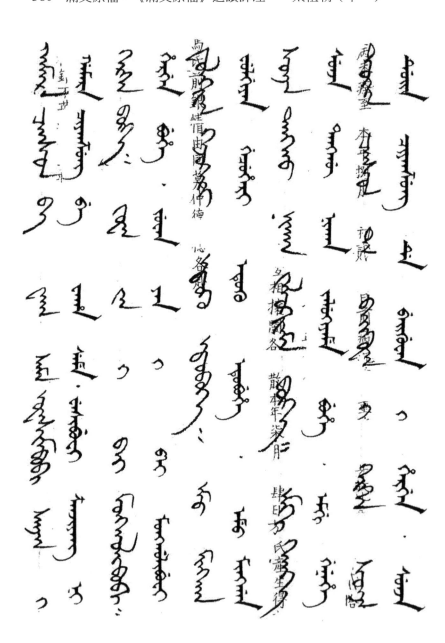

gamara ciyandzung be waha seme, wesibufi ts'anjiyang ni
hergen buhe, juwan yan i pai monggolibufi, fulgiyan
gecuheri etuku etubuhe, emu minggan sunja tanggū nikan
jalukiyame buhe. emgi genehe duin ciyandzung de beiguwan
i hergen, sunja

千總，陞為參將之職，給其項掛十兩銀牌，服紅蟒緞衣，
給滿一千五百漢人。同往之千總四人，均授備禦官之職，

千总，升为参将之职，给其项挂十两银牌，服红蟒缎衣，
给满一千五百汉人。同往之千总四人，均授备御官之职，

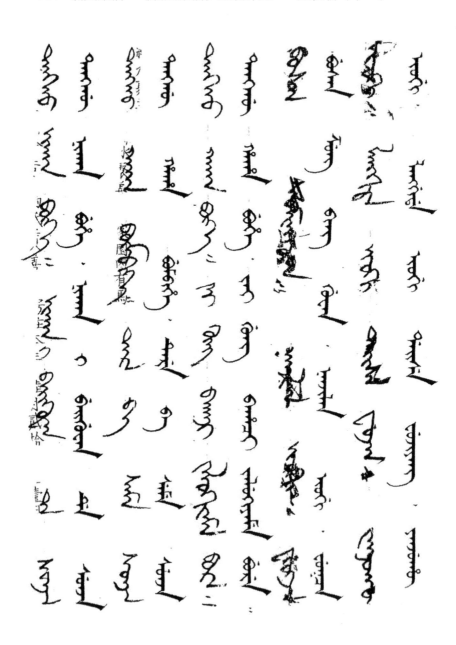

tanggū nikan buhe. nikan i beiguwan de sunja tanggū haha bumbihe, tere ba seme sunja tanggū haha buhe. jai gung bahaci jalukiyame bure. busan dzung bing guwan, nanjilan iogi, fukca iogi, langgida iogi daise fujiyang, yanjuhū

給與漢人五百名。漢人備禦官曾給與男丁五百名，茲再給與男丁五百名。若再立功，則給滿之。英明汗諭布三總兵官、南吉蘭遊擊、富克察遊擊、郎濟達遊擊代理副將、

给与汉人五百名。汉人备御官曾给与男丁五百名，兹再给与男丁五百名。若再立功，则给满之。英明汗谕布三总兵官、南吉兰游击、富克察游击、郎济达游击代理副将、

beiguwan daise iogi, genggiyen han, cooha gaifi yabure ambasai baru hendume, taifin doro de tondo mujilen dele, dain i doro de arga jali beyebe suilaburakū cooha be joboburakū, mergen faksi mujilen dele. musei

———————

延朱虎備禦官代理遊擊等統兵行走大臣曰：「太平之道，以公平為上；用兵之道，其奸計術，以不勞己、不苦兵、心智巧為上。

———————

延朱虎备御官代理游击等统兵行走大臣曰：「太平之道，以公平为上；用兵之道，其奸计术，以不劳己、不苦兵、心智巧为上。

cooha be suilaburakū, dain be eteci, mergen arga faksi jali,
unenggi coohai ejen serengge tere kai. musei cooha be
jobobume suilabume, dain be etehe baha seme tere ai tusa.
dain i doro de, ai

不勞我兵而克敵者，智計巧奸，誠可謂武將也。若勞苦我
兵，雖勝何益？故用兵之道，

不劳我兵而克敌者，智计巧奸，诚可谓武将也。若劳苦我
兵，虽胜何益？故用兵之道，

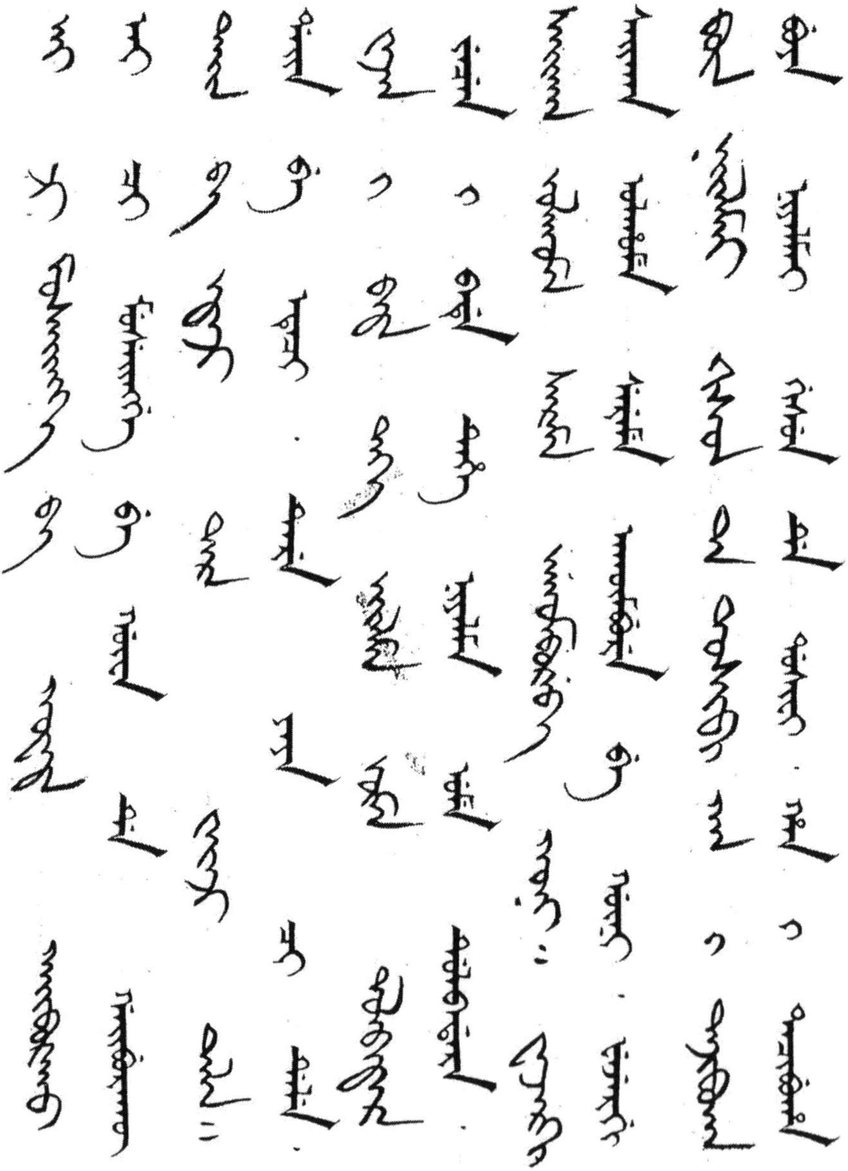

ai ci museingge be gūwa de gaiburakū dain be eteci, tere yaya ci dele. jecen i bade tehe niyalma ume dulbadara, saikan olhome sereme akūmbure be gūni, fejergi buya niyalmai gisun de dosifi, han i tacibuha

我之諸物不為他人所取，猶能克敵，斯為可貴。駐守邊境地方之人，切勿疏忽大意，當善加謹慎警覺，盡心防守。若聽信下面小人之言，

我之诸物不为他人所取，犹能克敌，斯为可贵。驻守边境地方之人，切勿疏忽大意，当善加谨慎警觉，尽心防守。若听信下面小人之言，

gisun be jurceme, hūlha holo mujilen jafafi sula heolen oci, suweni beyede jobolon isimbi kai. han i gisun be jurcerakū olhome sereme tondoi akūmbufi, han de sain sabuci, suwende gung kai. juwan ilan de,

違悖汗之訓諭，存賊盜之心，疏忽怠惰，則爾等之身必招禍患也。不違悖汗之訓諭，謹慎警覺盡忠圖報，若見善於汗，則必記爾等之功也。」十三日，

违悖汗之训谕，存贼盗之心，疏忽怠惰，则尔等之身必招祸患也。不违悖汗之训谕，谨慎警觉尽忠图报，若见善于汗，则必记尔等之功也。」十三日，

二十七、收貯軍械

fu jeo, g'ai jeo de unggihe bithe, jeku jafaha niyalma be unggifi. g'ai jeo, fu jeo de gaijara jeku be, musei subahai gufu, moobari emgi genehe emu minggan coohai niyalma de, jai amala genehe

致書復州、蓋州曰：「遣管糧之人，核計蓋州、復州所徵之糧，計我同往之蘇巴海姑父、毛巴里之一千兵丁

致书复州、盖州曰：「遣管粮之人，核计盖州、复州所征之粮，计我同往之苏巴海姑父、毛巴里之一千兵丁

monggo i angga be bodofi, fu jeo de udu hule ombi, g'ai jeo de udu hule ombi, tolome gaifi bu. juwan ilan de, julergi mederi ergide anafu tenehe burgi fujiyang isinjiha. du tang ni bithe, juwan

及後往之蒙古口數，可給復州若干石、蓋州若干石，按數徵收給之。」十三日，前往戍守南海一帶之布爾吉副將返回。十三日，都堂頒書曰：

及后往之蒙古口数，可给复州若干石、盖州若干石，按数征收给之。」十三日，前往戍守南海一带之布尔吉副将返回。十三日，都堂颁书曰：

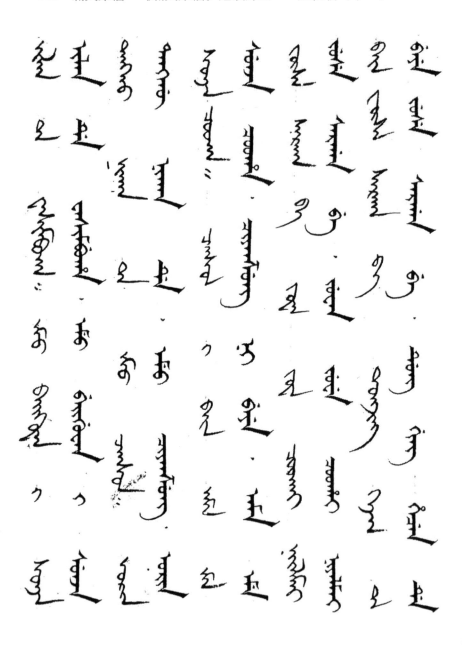

ilan de wasimbuha, emu beiguwan i sunja tanggū nikan de,
emu ciyandzung, orin sunja cooha, ciyandzung ni beye, ama
eme juse sargan be, juwan juwe coohai niyalmai beye juse
sargan be, dung ging hecen de

「著一備禦官率漢人五百名、千總一員、兵二十五名，千
總自身攜父母妻孥，兵丁十二人自身攜妻孥駐於東京城。

「着一备御官率汉人五百名、千总一员、兵二十五名，千
总自身携父母妻孥，兵丁十二人自身携妻孥驻于东京城。

tebu. booi niyalma ini bade tefi usin weilekini. tebure juwan
juwe coohai niyalma be sonjome sain ba tuwafi tebu. coohai
niyalma ehe oci, ciyandzung de fonjime, uksun geren sain
bayan niyalma dasame ilibu. orin sunja

其家人仍居原地耕田。所駐之兵丁十二名，當擇佳地而
駐。兵丁有過，唯千總是問。望族殷富之人再行安置。

其家人仍居原地耕田。所驻之兵丁十二名，当择佳地而驻。
兵丁有过，唯千总是问。望族殷富之人再行安置。

coohai niyalma be, jakūn niyalma beiguwan i aika jaka be asarambi. jai gabtame bahanara nadan niyalma de gida jafabu. beri jebele ashabu. gabtame bahanarakū juwan niyalma be, gemu poo jafabu. coohai niyalmai

兵丁二十五名，以八人收貯備禦官一應物件；再以善射之七人執槍拿弓，佩帶撒袋；不善射之十人，皆令執礮。

兵丁二十五名，以八人收貯备御官一应物件；再以善射之七人执枪拿弓，佩帶撒袋；不善射之十人，皆令执炮。

jafara poo, beri, jebele, loho, gida be gemu gaifi, meni meni hafan i boode asara. nio juwang ci wesihun, yengge ci wasihūn, tulergi jecen i ergide baisin niyalma de poo, beri, jebele, loho, gida

---

兵丁所執之礮、弓、撒袋、刀、槍，皆收取，存貯於各該管官員家中。自牛莊以東，英額以西，邊境外一帶百姓，可留礮、弓、撒袋、刀、槍。

兵丁所执之炮、弓、撒袋、刀、枪，皆收取，存贮于各该管官员家中。自牛庄以东，英额以西，边境外一带百姓，可留炮、弓、撒袋、刀、枪。

bikini, tereci julergi hecen, pu, gašan de coohai agūra ume bibure, meni meni kadalara gašan i coohai agūra be baicame gemu ganafi, ere duin biyaci dosi wacihiyame benju. wacihiyame gaijarakū ofi, coohai agūra bisire be

---

自此以南城、堡、屯，勿留軍械，查出各所管轄屯中之軍械，盡皆收取，限於本四月內盡數送來。若不盡數收取，留有軍械

自此以南城、堡、屯，勿留军械，查出各所管辖屯中之军械，尽皆收取，限于本四月内尽数送来。若不尽数收取，留有军械

gūwa gercilehe de, asaraha niyalma de ujen weile, kadalara hafan inu weile. nikan coohai agūra arafi uncaci, jušen de unca, nikan de ume uncara. nikan de uncaci, uncaha niyalma de weile, udaci udaha niyalma de

被人首告時，則收貯之人治以重罪，該管官員亦罪之。漢人若製造軍械販售，則售與諸申，勿售漢人。若售與漢人，則罪其售者，購買之人亦罪之。」

被人首告时，则收贮之人治以重罪，该管官员亦罪之。汉人若制造军械贩卖，则售与诸申，勿售汉人。若售与汉人，则罪其售者，购买之人亦罪之。」

二十八、行圍狩獵

weile. han i bithe, juwan duin de unggihe, julergi jase de tehe morin cooha, yafahan cooha gaifi tehe ambasa, suwe burgi i gese musei cooha komso de ume necire, ba bade bisire cooha de takūrafi

十四日，汗致書諭曰：「率領駐南方邊界馬兵及步兵之大臣等，爾等宜如布爾吉，我兵少時，勿得進犯，俟遣各處之兵至，

十四日，汗致书谕曰：「率领驻南方边界马兵及步兵之大臣等，尔等宜如布尔吉，我兵少时，勿得进犯，俟遣各处之兵至，

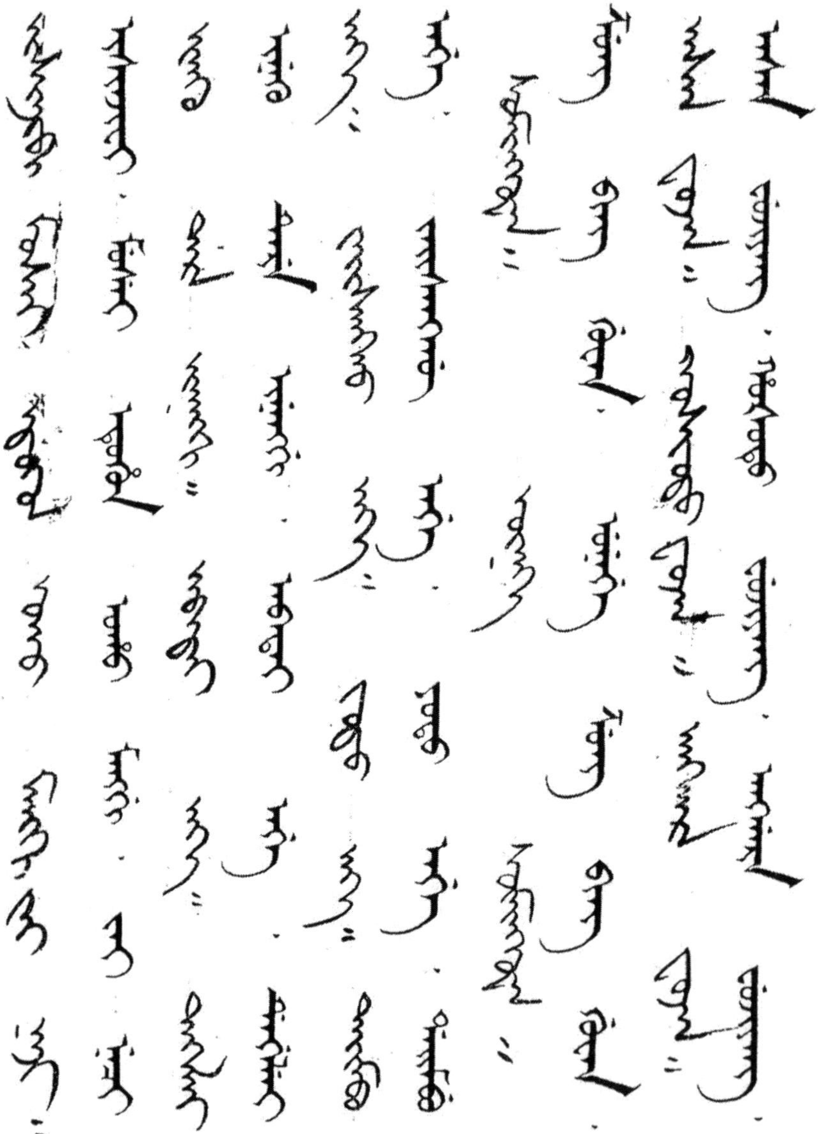

isinjifi, musei etuhun oho manggi, jai neci. ineku tere
inenggi, abatai age, degelei age, jaisanggū age, yoto age,
daimbu dzung bing guwan, unege dzung bing guwan, asan
fujiyang, hošotu fujiyang, anggara fujiyang,

我勢強後，再行征戰。」是日，阿巴泰阿哥、德格類阿哥、
齋桑古阿哥、岳托阿哥、戴木布總兵官、烏訥格總兵官、
阿山副將、和碩圖副將、昂阿拉副將、

我势强后，再行征战。」是日，阿巴泰阿哥、德格类阿哥、
斋桑古阿哥、岳托阿哥、戴木布总兵官、乌讷格总兵官、
阿山副将、和硕图副将、昂阿拉副将、

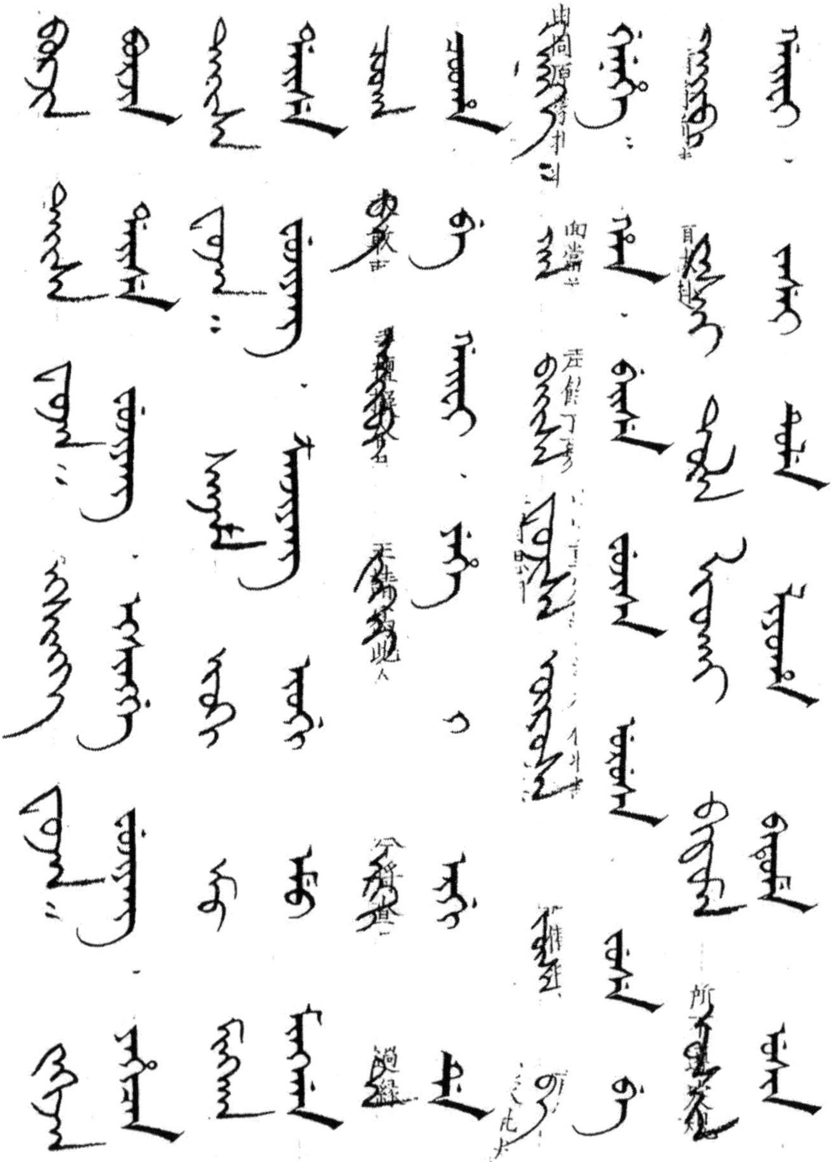

borjin daise fujiyang, eksingge fujiyang, yahican daise fujiyang, ts'anjiyang iogi emu minggan cooha be gaifi, yehe i ergi de genehe. han, beise fujisa, urusa, juse be gaifi, jasei tule liyoha bitume usin

---

博爾晉代理副將、額克興額副將、雅希禪代理副將及參將、遊擊等率兵一千名前往葉赫一帶。汗為於邊外沿遼河耕田開邊事，率眾貝勒及福晉、子媳、諸子等

博尔晋代理副将、额克兴额副将、雅希禅代理副将及参将、游击等率兵一千名前往叶赫一带。汗为于边外沿辽河耕田开边事率，众贝勒及福晋、子媳、诸子等

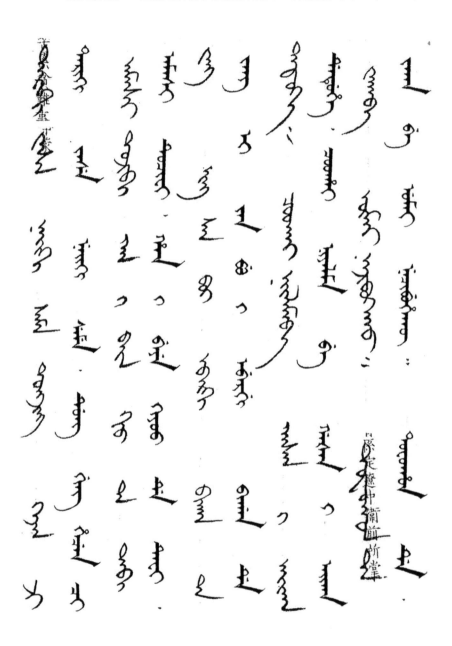

tariki jase neiki seme, dung ging hecen ci amasi tucifi, han i
beye kiyoo de tefi, jang i jan pu i ebergi bigan de deduhe.
coohai niyalma be gašan i aika jaka be umai necibuhekū.
tofohon de,

自東京城往北出去。汗本人乘轎，夜宿彰儀站堡之野。著
兵丁於屯中一應物件，秋毫無犯。十五日，

自东京城往北出去。汗本人乘轿，夜宿彰仪站堡之野。着
兵丁于屯中一应物件，秋毫无犯。十五日，

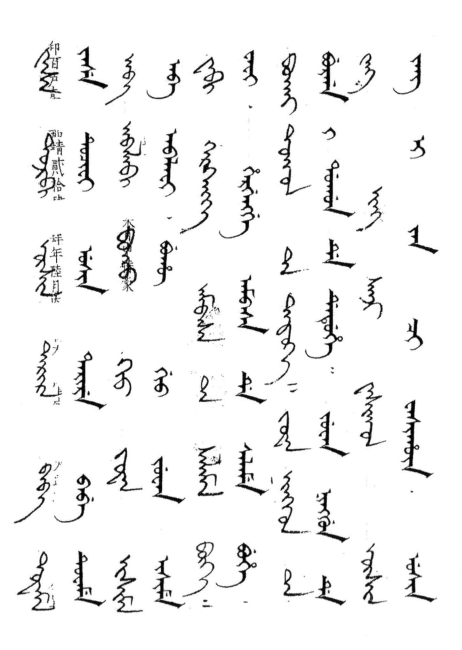

jase tucifi usin tarire babe tuwame aba abalafi, buhū gio
juwan isime wafi, hergengge ambasa de salame buhe. burga i
dogon de deduhe. juwan ninggun de, jang i jan ci wasihūn,
usin

汗出邊視察耕田之地，並行圍狩獵，殺鹿、麅將近十隻，
散給有職之大臣等。夜宿於布爾噶渡口。十六日，自彰儀
站以西，

汗出边视察耕田之地，并行围狩猎，杀鹿、狍将近十只，
散给有职之大臣等。夜宿于布尔噶渡口。十六日，自彰仪
站以西，

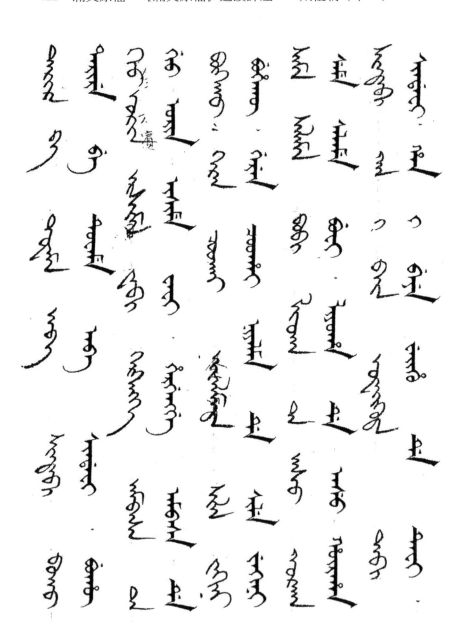

tarire be tuwame aba sindafi, buhū, gio orin isime wafi, hergengge ambasa de buhekū, geren coohai niyalma de sile jekini seme salame bufi, liyoha de asu hūrhan sindafi, han i beye weihu de tefi,

---

視察耕田，放圍狩獵，殺鹿、麅將近二十隻，未賜有職之大臣，而散給眾兵，令熬湯食之。於遼河張大圍網[22]，汗本人乘坐獨木舟，

視察耕田，放围狩猎，杀鹿、狍将近二十只，未赐有职之大臣，而散给众兵，令熬汤食之。于辽河张大围网，汗本人乘坐独木舟，

---

[22] 大圍網，《滿文原檔》寫作“aso korkan”，《滿文老檔》讀作“asu hūrhan”。另有讀作“hūrhan asu、hūrhan”，規範滿文讀作“hūrhan”。

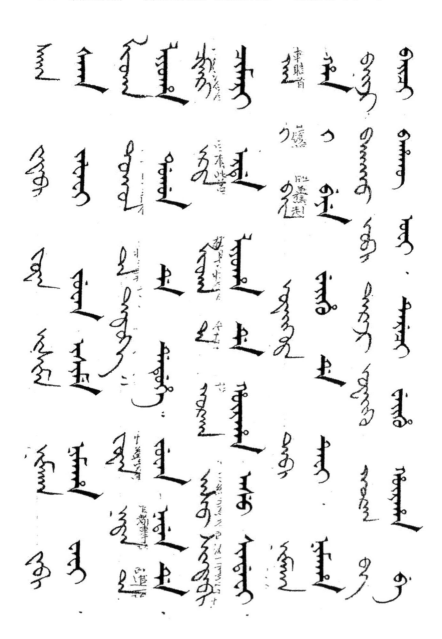

šaka jafafi juwan isime nimaha wafi, liyoha dogon de
deduhe. juwan nadan de, cimari erde liyoha de hūrhan asu
sindafi, han i beye weihu de tefi, nimaha baici bahakū ofi,
tereci weihu, hūrhan be

執叉殺魚將近十尾，夜宿遼河渡口。十七日晨，於遼河張
大圍網，汗本人乘坐獨木舟，尋魚未獲，於是將獨木舟及
大圍網

执叉杀鱼将近十尾，夜宿辽河渡口。十七日晨，于辽河张
大围网，汗本人乘坐独木舟，寻鱼未获，于是将独木舟及
大围网

amba omo de gamafi, nimaha baici inu bahakū, hūrhan
hūwajara jakade, han jili banjifi, wei gūsai hūrhan yooni
gajihabi, wei gūsai hūrhan yooni gajihakūbi, hasa baica,
weile araki seme baicaci, kubuhe šanggiyan i

移於大池，尋魚亦未獲，因大圍網破碎，汗怒曰：「何旗
之大圍網已俱攜來？何旗之大圍網未俱攜？著查明治
罪。」查得，鑲白旗

移于大池，寻鱼亦未获，因大围网破碎，汗怒曰：「何旗
之大围网已俱携来？何旗之大围网未俱携？着查明治
罪。」查得，镶白旗

gūsai hūrhan jakūn da, emu kooji, kubuhe fulgiyan i gūsai
juwan nadan da, gulu šanggiyan i gūsai juwan uyun da gulu
suwayan i gūsai nadan da emu gala, kubuhe suwayan i gūsai
orin emu da emu gala, gulu fulgiyan i

大圍網八庹一靠几[23]；鑲紅旗十七庹；正白旗十九庹；正
黃旗七庹半；鑲黃旗二十一庹半；正紅旗

大围网八庹一靠几；镶红旗十七庹；正白旗十九庹；正黄
旗七庹半；镶黄旗二十一庹半；正红旗

---

[23]　靠几，係滿文"kooji"之音譯，量詞，具體長度待考。按〈簽注〉：
「謹查《舊清語》及《清文鑑》二書，均無"kooji"一詞，照抄之。」

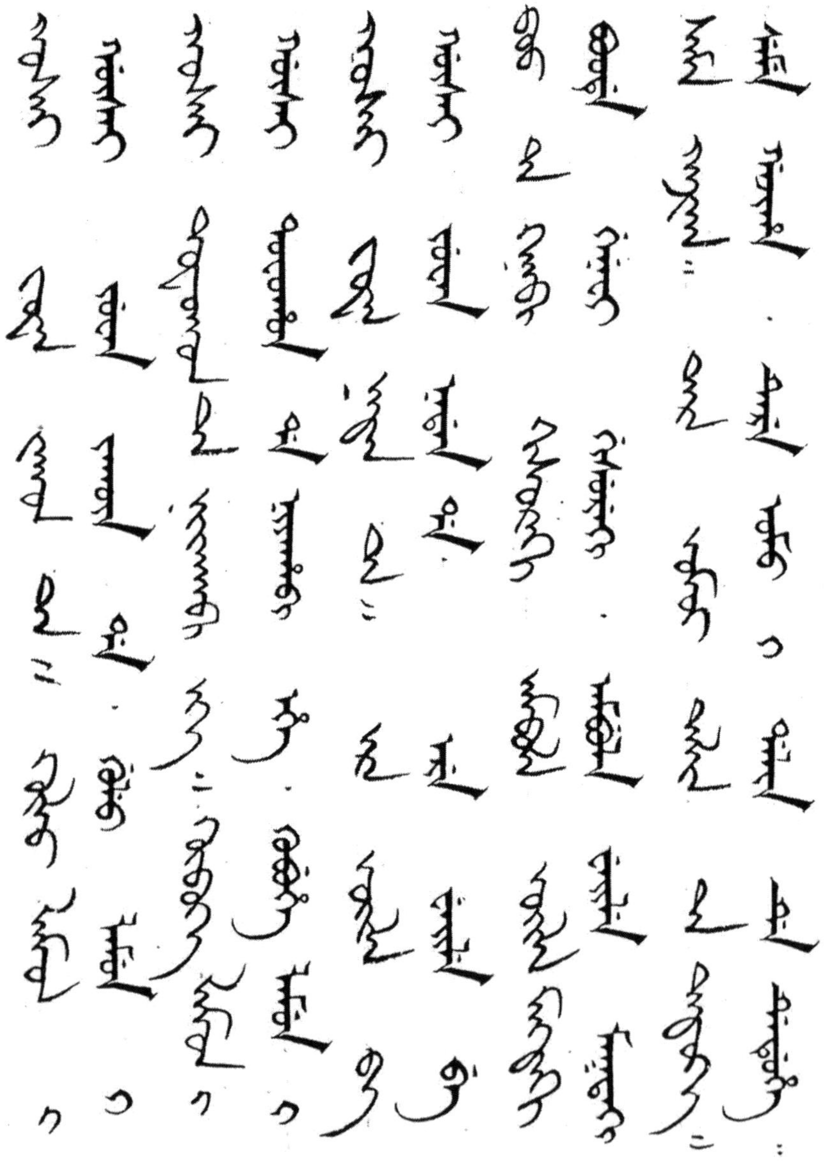

gūsai juwan jakūn da, gulu lamun i gūsai tofohon da,
niyahabi ehe, kubuhe lamun i gūsai juwan nadan da, ere
weile be boode genefi gisureki. ambula weile maktaki seme
gajiha. tere omo i dalin de deduhe.

十八庹；正藍旗十五庹，已破爛腐壞；鑲藍旗十七庹。回
家後再議其罪。將網帶回，擬從重治罪。夜宿該池之岸。

十八庹；正蓝旗十五庹，已破烂腐坏；镶蓝旗十七庹。回
家后再议其罪。将网带回，拟从重治罪。夜宿该池之岸。

barin ci juwe niyalma ukame jihe. juwan uyun de, seoken i
sunja morin be, nuktere monggo hūwang ni wa ci ukame
gamaha. juwan uyun de, tereci wesifi liyoha bira be hūrhan
asu sindafi, han i beye

有二人自巴林逃來。十九日，游牧蒙古人攜叟肯之馬五匹
自黃泥窪潛逃。十九日，由此溯遼河上游張大圍網，汗本
人

有二人自巴林逃来。十九日，游牧蒙古人携叟肯之马五匹
自黄泥洼潜逃。十九日，由此溯辽河上游张大围网，汗本
人

weihu de tefi, šaka jafafi nimaha baici bahakū ofi, weihu asu hūrhan be booi baru amasi unggihe. tereci usin tarire be tuwaha, durbi ala be šurdeme tuwafi, hecen araki seme toktobuha. tereci

---

乘坐獨木舟，執叉尋魚，因未尋獲，遂命遣人將獨木舟及大圍網攜回家。由此視察耕田，於都爾鼻山崗周圍視察後，乃定於此築城。

乘坐独木舟，执叉寻鱼，因未寻获，遂命遣人将独木舟及大围网携回家。由此视察耕田，于都尔鼻山岗周围视察后，乃定于此筑城。

aba sindafi buhū, gio juwan isime waha. dadai subargan i julergi de deduhe. jaisai beile i emu haha, emu hehe, emu jui ukame jifi, liyoha i cargi dalin de bisire be, morin i doobume ganafi gajiha.

於此放圍，殺鹿、麅將近十隻。夜宿達岱塔南。齋賽貝勒之一男、一女、一子逃來，至遼河彼岸，命以馬渡河而來。

于此放围，杀鹿、狍将近十只。夜宿达岱塔南。斋赛贝勒之一男、一女、一子逃来，至辽河彼岸，命以马渡河而来。

orin de, dadai subargan ci usin tarire be tuwame aba abalafi, gio orin waha. ši fang sy i julergi niyo de deduhe. orin emu de, julergi de tehe suna efu, senioke i unggihe bithe, jakūn cuwan, juwan

---

二十日，自達岱塔視察耕田，放圍狩獵，殺麅二十隻。夜宿十方寺南之水甸。二十一日，駐守南方蘇納額駙、色鈕克致書稱：「有明船八艘、

二十日，自达岱塔视察耕田，放围狩猎，杀狍二十只。夜宿十方寺南之水甸。二十一日，驻守南方苏纳额驸、色钮克致书称：「有明船八艘、

二十九、防範漢人

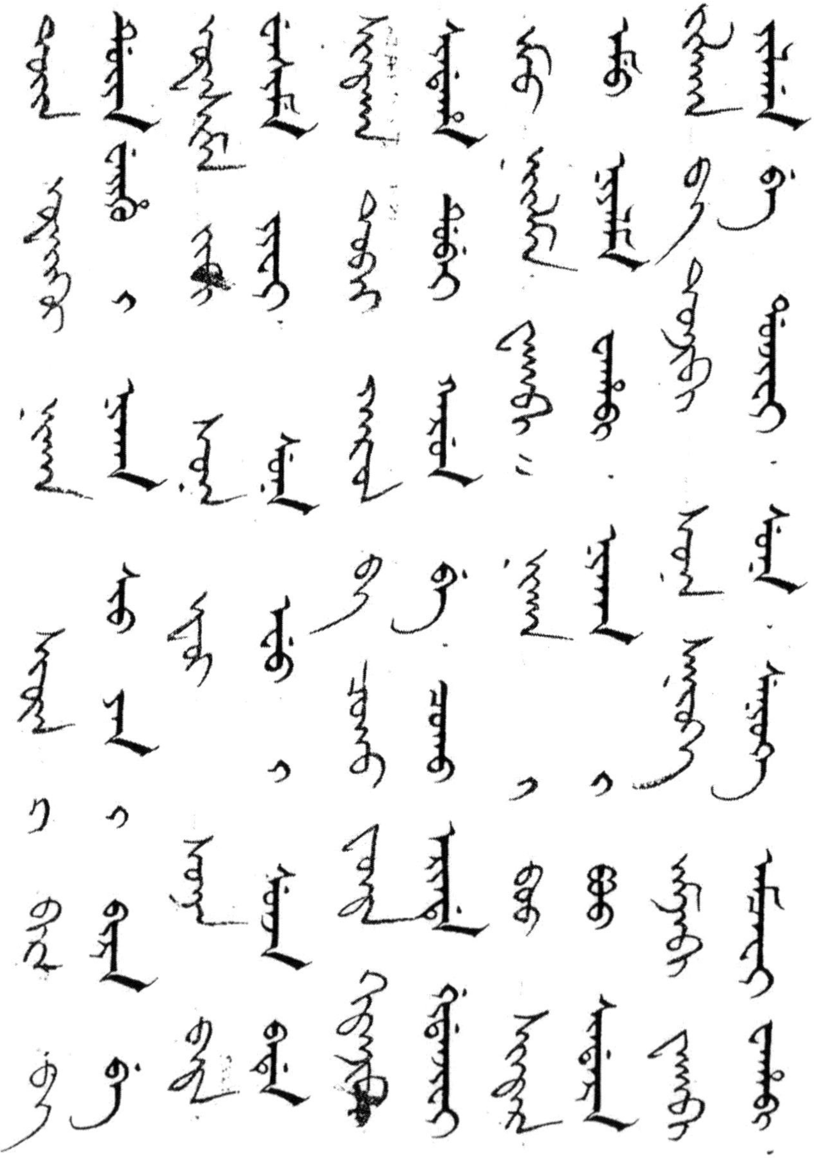

duin weihu i nikan sio yan i bira be wesime jifi, suna efu i sunja bade sindaha dubei karun be, coko erinde gidanjifi emu niyalma wahabi. nikan i poo sindara jilgan be donjifi, suna, senioke amcafi wahabi,

---

獨木舟十四隻，逆岫巖河水而來，酉時，來劫蘇納額駙所設邊緣卡倫五處，殺死一人。聞漢人放礮之聲，蘇納、色鈕克追殺之，

独木舟十四只，逆岫岩河水而来，酉时，来劫苏纳额驸所设边缘卡伦五处，杀死一人。闻汉人放炮之声，苏纳、色钮克追杀之，

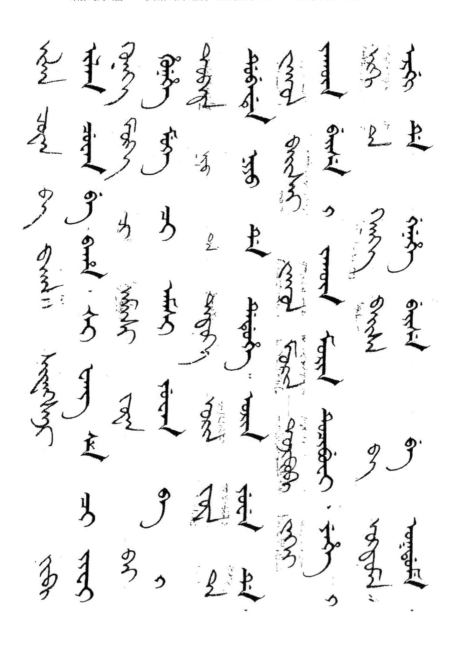

ilan cuwan be baha. ši fang sy ci jifi hunehe muke ci amasi
juwan ba i dubede niyo de deduhe. orin juwe de, jakūn beise
i jakūn morin tucibufi, yehe i ergi de genehe beise be
okdome,

獲船三艘。自十方寺前來，自渾河返回，宿於十里外之水
甸。二十二日，命派出八貝勒之馬八匹，以迎前往葉赫之
諸貝勒。

获船三艘。自十方寺前来，自浑河返回，宿于十里外之水
甸。二十二日，命派出八贝勒之马八匹，以迎前往叶赫之
诸贝勒。

simiyan de juwe morin ilifi aliya, cilin de juwe morin ilifi
aliya, keyen de juwe morin ilifi ulebume aliya, yehe de juwe
morin be ulebume aliya. orin ilan de, anafu tehe coohai

潘陽設馬二匹以待，鐵嶺設馬二匹以待，開原設馬二匹餵
養以待，葉赫餵馬二匹以待。二十三日，

沈阳设马二匹以待，铁岭设马二匹以待，开原设马二匹喂
养以待，叶赫喂马二匹以待。二十三日，

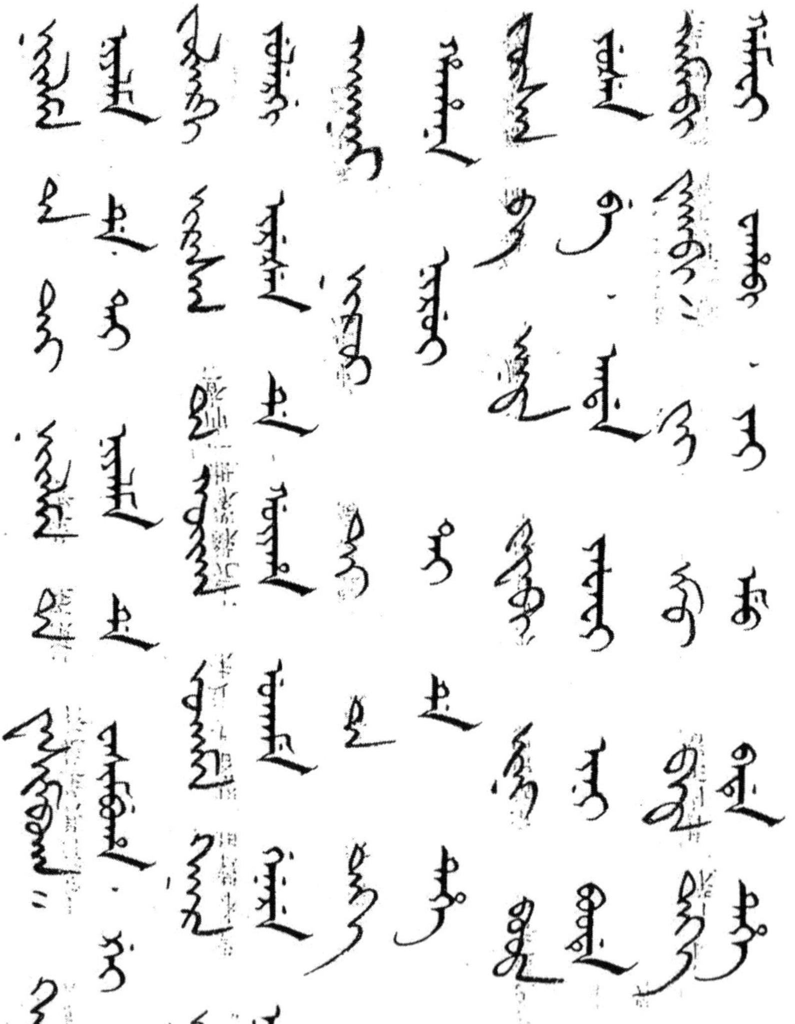

niyalma de, tai niyalma de wasimbuha, g'ai jeo julergi irešen
de goiha ukame genere nikan, hahana nirui tai de tehe ilan
jušen be, anda jafafi ini boode jaldame gamafi wahabi. jai
emu bade tehe nadan

諭戍守之兵丁、臺人曰：「伊勒慎所屬蓋州南潛逃之漢人，
與哈哈納牛彔之坐臺諸申三人結交為友[24]，並騙至其家殺
之。再者，駐某地之七人，

諭戍守之兵丁、台人曰：「伊勒慎所属盖州南潜逃之汉人，
与哈哈纳牛彔之坐台诸申三人结交为友，并骗至其家杀
之。再者，驻某地之七人，

---

[24] 結交為友，《滿文原檔》寫作 "anta jawabi"，《滿文老檔》讀作 "anda
jafafi"。按滿文 "anda"，係蒙文"anda"音譯詞，意即「結拜兄弟」。

niyalma, nikan i anda i boode genefi, okto nure omifi gemu
bucehebi. jai emu bade tehe sunja niyalma be, nikan i anda
ini boode gamafi soktobufi gemu wahabi, nikan waliyafi
ukame genehebi. tai de tehe jušen,

前往漢人朋友家飲藥酒，皆死亡。再者，駐某地之五人被
漢人朋友帶至其家內，以酒灌醉後皆殺之，該漢人棄之潛
逃。凡坐臺之諸申，

前往汉人朋友家饮药酒，皆死亡。再者，驻某地之五人被
汉人朋友带至其家内，以酒灌醉后皆杀之，该汉人弃之潜
逃。凡坐台之诸申，

ba bade tehe yafahan cooha, morin cooha, karun i niyalma, yaya niyalma nikan i emgi anda ume jafara, nikan i boode ume genere. nikan i emgi anda jafaha de, nikan i boode genehe de amba weile arambi.

駐各處之步兵、馬兵、哨卒，凡是漢人，勿與交友，勿往漢人之家。若與漢人交友，前往漢人之家，則治以大罪。

駐各处之步兵、马兵、哨卒，凡是汉人，勿与交友，勿往汉人之家。若与汉人交友，前往汉人之家，则治以大罪。

suna efu i karun sindaha ilan niyalma tuwa dulembufi, amgafi, sio yan i bira be wesime cuwan i nikan jidere be sahakū ofi, juwe niyalma gaibuhabi. tere jihe cuwan i emu minggan nikan be, suna efu gidafi gemu

駐蘇納額駙所設卡倫之三人燃火入睡，因不知漢人乘船逆岫巖河而來，故被俘二人。其乘船前來之漢人一千名，被蘇納額駙擊敗後

駐苏纳额驸所设卡伦之三人燃火入睡，因不知汉人乘船逆岫岩河而来，故被俘二人。其乘船前来之汉人一千名，被苏纳额驸击败后

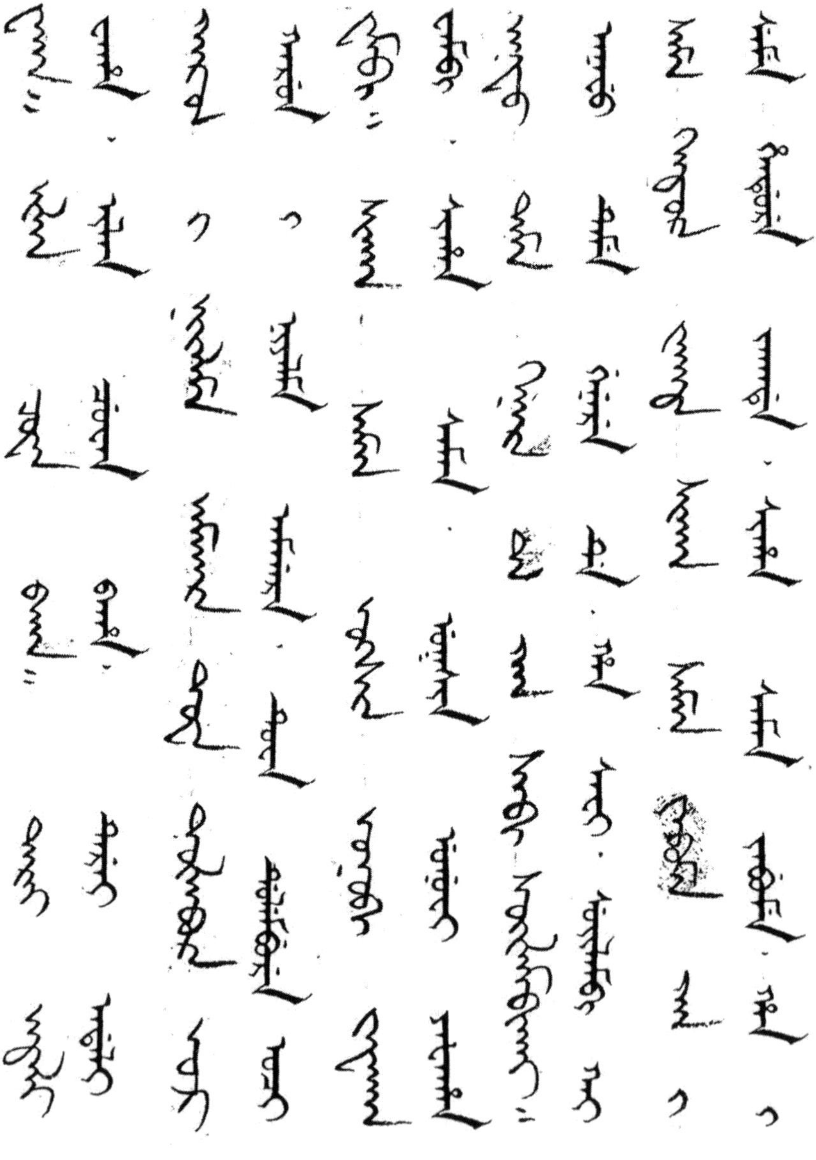

waha, ilan cuwan baha. terei adali karun i niyalma amgara,
tuwa dulembure oci wambi. sihan saman, uksin unufi
yafahan anafu teme genere de, han safi, suilambi kai seme
hendure jakade, sihan saman jabume, han i

皆殺之，獲船三艘。再有似此燃火入睡之哨卒，則殺之。
希漢薩滿負甲步行前往戍守，汗見之曰：『辛苦也！』希
漢薩滿答曰：

皆杀之，获船三艘。再有似此燃火入睡之哨卒，则杀之。
希汉萨满负甲步行前往戍守，汗见之曰：『辛苦也！』希
汉萨满答曰：

三十、互通有無

joboro ucuri, be jobokini. han jirgaci, meni jirgara inenggi
bidere seme, tere emu gisun jabume jabšabuha turgunde, han
tukiyefi beiguwan i hergen bufi banjire be, geren gemu
donjiha dere. terei gese ba bade tehe coohai

『汗勞苦之際，我等情願受苦。汗若安逸，我等亦有安逸
之日也。』因此一言回答得體汗舉之，授為備禦官之職，
料衆人皆已聞知。似此駐各處之兵丁，

『汗劳苦之际，我等情愿受苦。汗若安逸，我等亦有安逸
之日也。』因此一言回答得体汗举之，授为备御官之职，
料众人皆已闻知。似此驻各处之兵丁，

niyalma, ere emu aniya jobombi dere, kemuni geli joboho
doro bio. joboro be akūmbuci, jirgara inenggi bidere. ere
bithe be anafu tehe coohai niyalma de, tai niyalma de, busan
si ulan ulan i gemu isibu. jeku

不過一年勞苦而已，豈仍有復勞苦之道乎？若盡其勞苦，
料想必有安逸之日也。著布三爾將此書輾轉傳諭戍守之兵
丁及臺人皆知之。」

不过一年劳苦而已，岂仍有复劳苦之道乎？若尽其劳苦，
料想必有安逸之日也。着布三尔将此书辗转传谕戍守之兵
丁及台人皆知之。」

bisire, acire ulha bisire niyalma, bilaha jeku be wacihiyame
benju. bure jeku akū, ulha akū niyalma be, gašan i ambasa,
ciyanjang, bejang endembio. tesebe genehe lii fuma de habša,
akū yargiyan oci

著有糧、有馱載牲畜之人，限期內將糧食盡數送來。無糧
可給、無牲畜之人，屯中之大臣、千長、百長等豈有不知
耶[25]？將此告於前往之李駙馬，若確實沒有，

着有粮、有驮载牲畜之人，限期内将粮食尽数送来。无粮
可给、无牲畜之人，屯中之大臣、千长、百长等岂有不知
耶？将此告于前往之李驸马，若确实没有，

---

[25] 豈有不知耶，《滿文原檔》寫作 "entembio"，《滿文老檔》讀作
"endembio"，意即「瞞得住麼」。

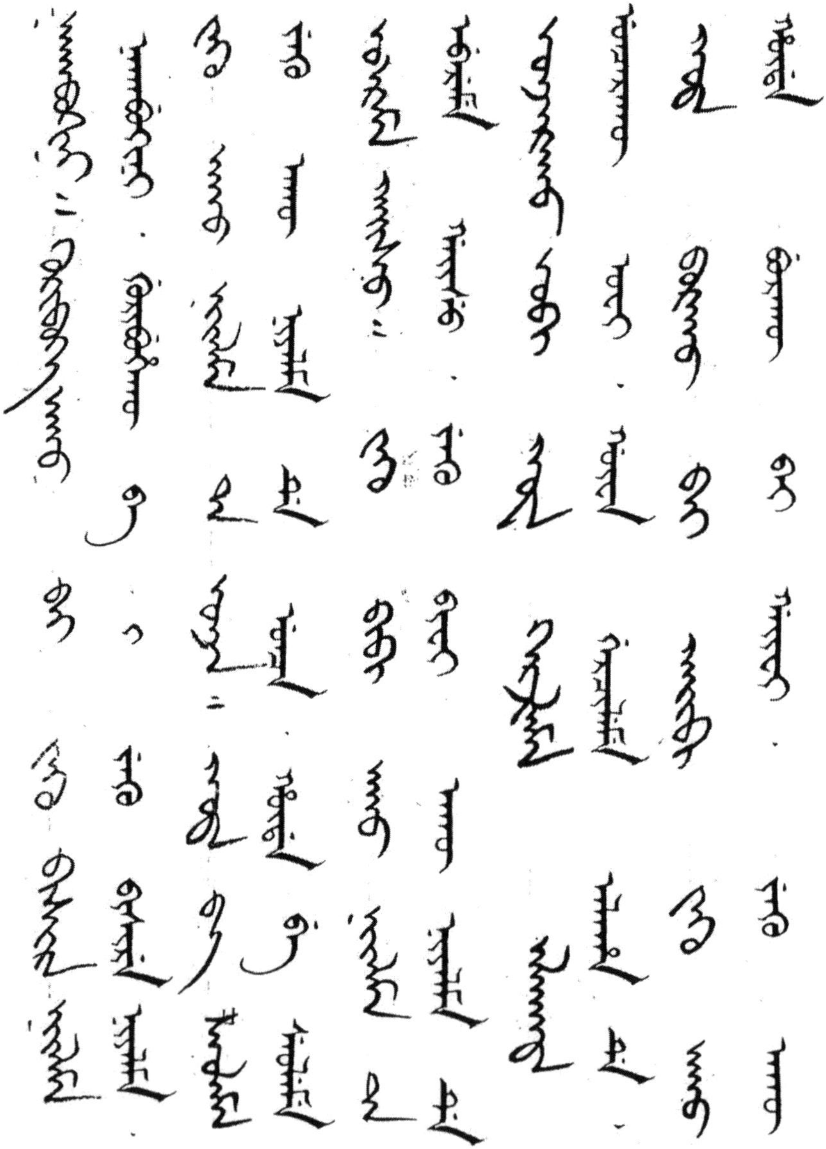

nakabukini. guribuhekū ba i jeku bisire niyalma, jeku akū niyalma de unca, hūda be seoleme ebereme gaisu. jeku bifi akū niyalma de uncarakū ofi, gūwa gercileme alaha de, hūda burakū bai gaifi, jeku akū

可以免之。令未遷地方有糧之人，售與無糧之人，酌減其價。若有糧而不肯售與無糧之人，經人首告時，則不給價而平白取之，

可以免之。令未迁地方有粮之人，售与无粮之人，酌减其价。若有粮而不肯售与无粮之人，经人首告时，则不给价而平白取之，

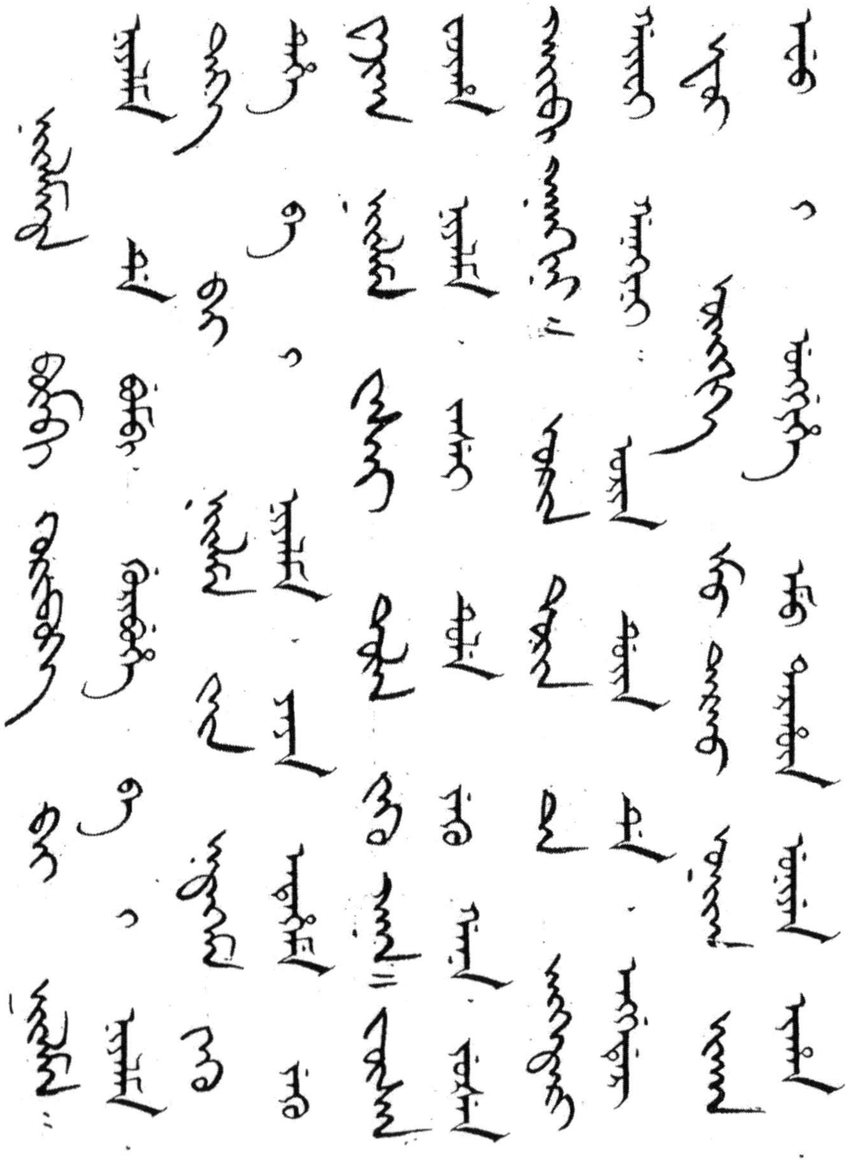

niyalma de bumbi, guribuhe ba i niyalma, tehe ba i niyalma, yaya enteheme jeku wajiha niyalma, jasei tule jeku gana, jušen gaifī ganakini. orin duin de, enggeder efu i unggihe emu tarhūn uniyen ihan,

---

給與無糧之人。遷移地方之人及居本地之人，凡長期斷糧之人，著往邊外取糧，由諸申率領前往取之。二十四日，恩格德爾額駙送來肥母牛[26]一頭、

给与无粮之人。迁移地方之人及居本地之人，凡长期断粮之人，着往边外取粮，由诸申率领前往取之。二十四日，恩格德尔额驸送来肥母牛一头、

---

[26] 肥母牛，《滿文原檔》寫作 "tarko onijan ikan"，《滿文老檔》讀作 "tarhūn uniyen ihan"。按滿文 "tarhūn"，係蒙文"tarɣun"借詞，意即「肥胖的、豐滿的」。滿文 "uniyen"，係蒙文"üniy-e(n)"借詞，意即「母牛、乳牛」。

三十一、計口配糧

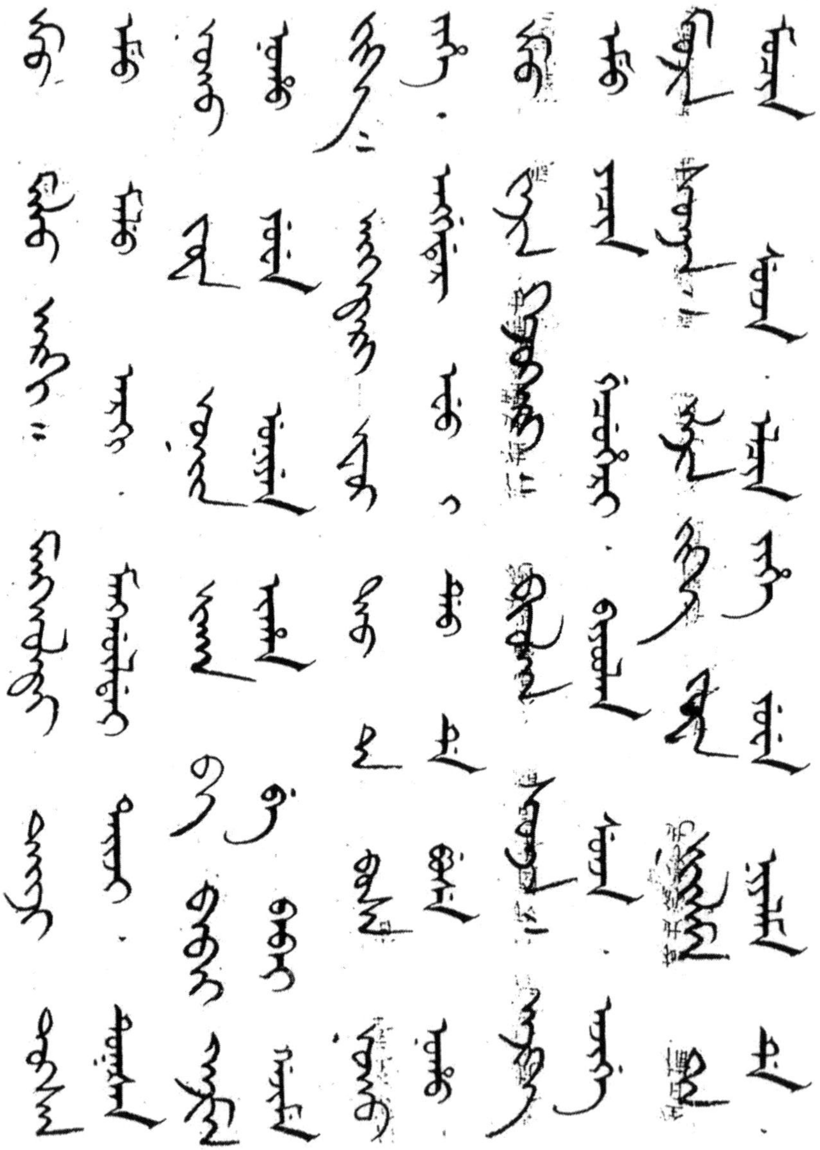

emu malu arki, manggūldai taiji tukšan noho juwe uniyen ihan be babai gajime jihe. enggeder efu i deo de puse noho emu yacin gecuheri, biyoolan sunja, ajige mocin sunja. elcin jihe juwe niyalma de,

---

燒酒一甕。莽古爾岱台吉遣巴拜攜來有犢之母牛二頭。賜恩格德爾額駙之弟純青補子蟒緞一疋、藍緞五疋、小毛青布五疋。其來使二人，

烧酒一瓮。莽古尔岱台吉遣巴拜携来有犊之母牛二头。赐恩格德尔额驸之弟纯青补子蟒缎一疋、蓝缎五疋、小毛青布五疋。其来使二人，

emke de ilan yan menggun, jai emu niyalma juwe yan. babai de ilan yan menggun, emu goksi buhe, jai emu niyalma de juwe yan buhe. gege de emu fulgiyan gecuheri, enggeder efu de emu

---

一人賜銀三兩，再一人二兩。賜巴拜銀三兩、無披肩朝衣一件，再一人賜二兩。賜格格紅蟒緞一疋，並賜恩格德爾額駙

一人賜銀三兩，再一人二兩。賜巴拜银三兩、无披肩朝衣一件，再一人賜二兩。賜格格紅蟒缎一疋，并賜恩格德尔額駙

goksi unggihe. yan geng, wang beiguwan bithe wesimbume,
tolan šan i niyalma tanggū funceme ubašambi seme, yuwan
sin gebungge ciyandzung anggai alanjiha bihe. be terei gisun
be akdarakū, sung jin jung gebungge niyalma be

無披肩朝衣一件，遣來使攜回。彥庚、王備禦官具奏稱：
「據名叫袁欣之千總前來面告，托蘭山有百餘人謀叛等
語。我等不信其言，於是遣名叫宋進忠之人

无披肩朝衣一件，遣来使携回。彦庚、王备御官具奏称：
「据名叫袁欣之千总前来面告，托兰山有百余人谋叛等
语。我等不信其言，于是遣名叫宋进忠之人

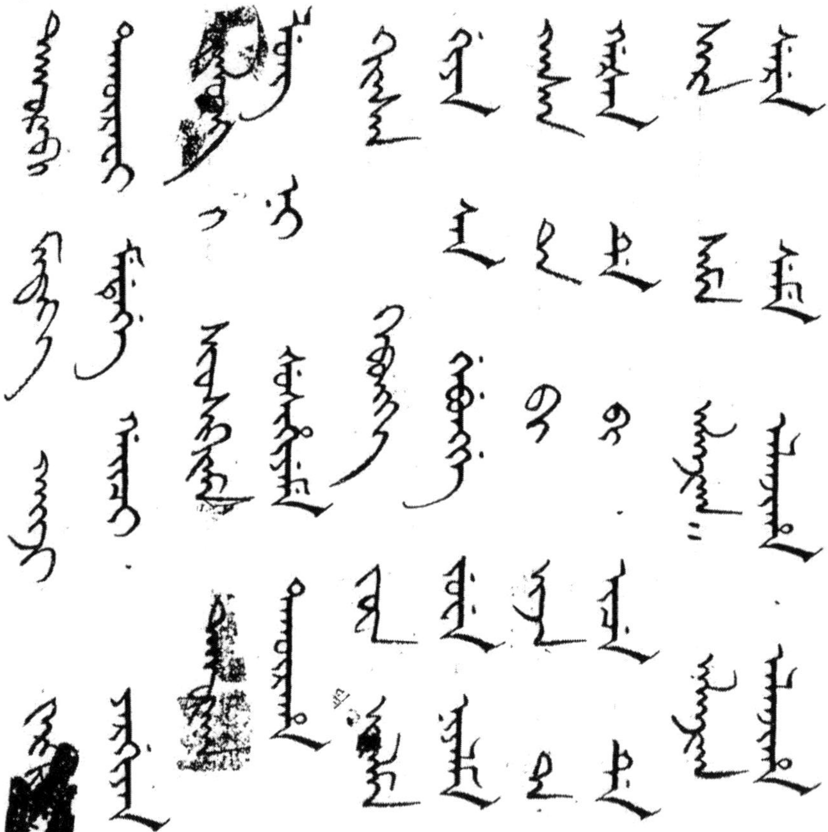

takūrafi medege gaici, yargiyan, mao wen lung ni
šusihiyeme takūraha giya da, giya san gebungge juwe
niyalma jifi, tere gašan de bi, ice de jurambi sembi sere seme
alanjiha. alanjiha manggi, fusi

前往探取信息，信息屬實，並探得毛文龍唆使名叫賈大、
賈三二人前來，在於該屯，欲於初一日啟行。」如此來告
後，

前往探取信息，信息属实，并探得毛文龙唆使名叫贾大、
贾三二人前来，在于该屯，欲于初一日启行。」如此来告
后，

efu be genefi dacila, weile yargiyan ohode, ice guribuhe ba i niyalma oci, uju uju be dung ging de gajime jio. buya niyalma be tere šurdeme jeku bisire gašan i niyalma de kamcibume

遂命撫順額駙前往打聽信息，並諭曰：「倘事屬實，若係新遷地方之人，則將各為首者帶來東京，其餘小人，則令與其周圍有糧莊屯之人合居，

遂命抚顺额驸前往打听信息，并谕曰：「倘事属实，若系新迁地方之人，则将各为首者带来东京，其余小人，则令与其周围有粮庄屯之人合居，

tebufi jeku, usin bu. guribuhengge waka daci tehe niyalma
oci, haha be gemu wa, hehe juse be olji ara seme unggihe.
fusi efu genefi g'ai jeo de tembi, lio fujiyang genefi fu jeo,

---

給與糧食、田地。若非遷移者，而係原住之人，則將男丁
皆殺之，婦孺充俘。著撫順額駙前往駐守蓋州，劉副將前
往駐守復州、

給与粮食、田地。若非迁移者，而系原住之人，则将男丁
皆杀之，妇孺充俘。着抚顺额驸前往驻守盖州，刘副将前
往驻守复州、

sio yan i sidende tembi, sio yan de tung ts'anjiyang tehebi.
g'ao el ing de lii ing jiye iogi tehebi. ša ho de gin iogi tehebi.
loo hū dung de jang meng jao iogi tehebi. fu jeo de jao iogi
tehebi.

岫巖之間。佟參將已駐岫巖，李英傑遊擊已駐高爾營，金
遊擊已駐沙河，張夢兆遊擊已駐老虎洞，趙遊擊已駐復州。

岫岩之间。佟参将已驻岫岩，李英杰游击已驻高尔营，金
游击已驻沙河，张梦兆游击已驻老虎洞，赵游击已驻复州。

fusi efu i bithe lio fujiyang de wasimbu, lio fujiyang ni bithe
i bithe, jase bitume tehe sunja iogi de wasimbu. sunja iogi
meni meni kadalara ba i teisu jasei tulergici guribume gajifi,
jasei dolo

著撫順額駙頒書諭劉副將，劉副將再將此諭轉告沿邊駐守
之五遊擊。五遊擊查各所轄地由邊外遷至邊內

着抚顺额驸颁书谕刘副将，刘副将再将此谕转告沿边驻守
之五游击。五游击查各所辖地由边外迁至边内

tebuhe niyalma be baica, usin tarifi jetere jeku akū niyalma
de jeku bu. jetere jeku inu akū, usin tarire ulha akū ofi, usin
tarihakū niyalma be baicafi, haha anggala be tolofi, jasei
dorgi jeku

居住之人，耕田無食糧之人給糧；因無食糧，耕田無牲畜
之人，則計其丁口，

居住之人，耕田无食粮之人给粮；因无食粮，耕田无牲畜
之人，则计其丁口，

bisire ba i gašan tolofi, tanggū haha de orin haha, juwan haha kamcibufi, jetere jeku be angga tolome gaifi bu, usin be inu anggala tolome tariha usin be gaifi bu,

並計入邊內有糧之屯，每百男丁配以二十男丁，或十男丁合居；食糧計口取而給之，田地亦計口取耕田給之。

并计入边内有粮之屯，每百男丁配以二十男丁，或十男丁合居；食粮计口取而给之，田地亦计口取耕田给之。

三十二、尋魚刀船

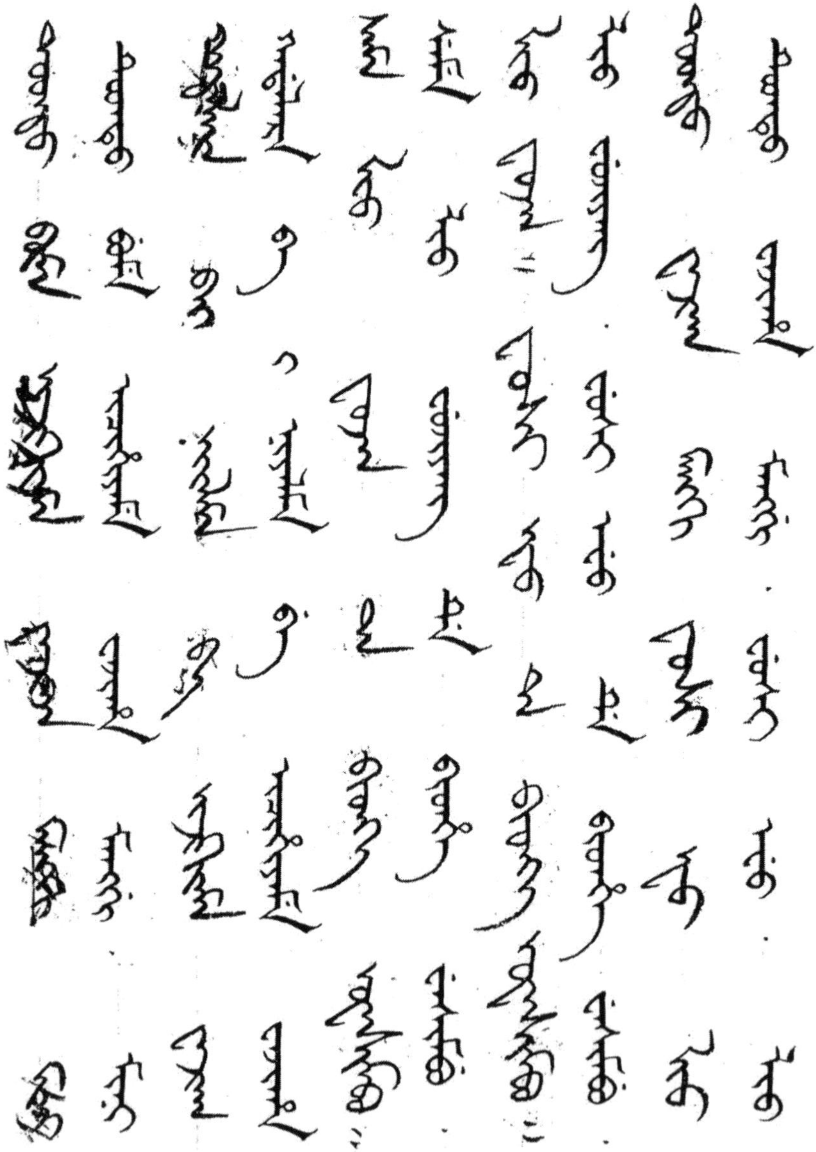

tuttu bume icihiyame wajiha manggi, mini kadalara ba i niyalma be icihiyame wajiha seme lio fujiyang de bithe wesimbu. lio fujiyang, fusi efu de bithe wesimbu. tuttu wajiha manggi, fusi efu, lio

---

辦理完竣後，即以我所管地方之人業已辦理完竣等語具報劉副將，劉副將再具報撫順額駙。如此完竣後，撫順額駙、

办理完竣后，即以我所管地方之人业已办理完竣等语具报刘副将，刘副将再具报抚顺额驸。如此完竣后，抚顺额驸、

fujiyang jikini. ere bithe be gamame orin duin de genehe. orin sunja de, šanapu i beiguwan jang u lin habšarangge, ere biyai juwan jakūn de, honin erin de, mooi hoton bošome arara amban yegude juwe

劉副將即回來。」二十四日持此書前往。二十五日，沙納堡備禦官張武林首告稱：「本月十八日未時，督造木城之大臣葉古德等二人

劉副將即回來。」二十四日持此書前往。二十五日，沙納堡備禦官張武林首告稱：「本月十八日未時，督造木城之大臣葉古德等二人

刘副将即回来。」二十四日持此书前往。二十五日，沙纳堡备御官张武林首告称：「本月十八日未时，督造木城之大臣叶古德等二人

niyalma, ciyandzung wang di ming ni baru jaha gaji nimaha
baiki sere jakade, wang di ming uthai emu jaha baifi, nimaha
baire jang dase gebungge niyalma de bufi, nimaha baire
juwan niyalma, yegude i emgi

因向千總王第明取刀船尋魚。王第明即尋一刀船，交付尋
魚名叫張達色之人，尋魚之十人，與葉古德同往。

因向千总王第明取刀船寻鱼。王第明即寻一刀船，交付寻
鱼名叫张达色之人，寻鱼之十人，与叶古德同往。

genefi, ere biyai orin ilan i inenggi morin erin de, nimaha baire jang dase anggai habšame, ere biyai orin emu de coko erinde, jaha i nimaha baime šun tuhere baru liyoha de genefi, da lung

本月二十三日午時，尋魚之張達色前來口頭首告，本月二十一日酉時，以刀船尋魚，日落時前往遼河，

本月二十三日午时，寻鱼之张达色前来口头首告，本月二十一日酉时，以刀船寻鱼，日落时前往辽河，

wan sere bade isinafi nimaha baire de, tulergi monggo
ucarafi jang dase, hioi da šeng juwe nofi feye baha, jaha
gamame genehe tungse kio wailan gabtabufi bucehe. jai
gūwa nimaha baire niyalma bisire be

至大龍灣地方尋魚時遇外蒙古，張達色、徐大升二人受
傷，隨刀船同往之通事邱外郎中箭死亡。其餘尋魚之人生
死如何，

至大龙湾地方寻鱼时遇外蒙古，张达色、徐大升二人受伤，
随刀船同往之通事邱外郎中箭死亡。其余寻鱼之人生死如
何，

akū be, dobori ofi sarkū seme alanjiha. yargiyan medege be amala unggimbi. tainju iogi, tottoi sunja tanggū cooha be gaifī, yoo jeo de anafu teme genehe.

因夜晚不得而知等語。其確實信息，查明後再報。」泰英珠遊擊、托特托依率兵五百名前往耀州戍守。

因夜晚不得而知等语。其确实信息，查明后再报。」泰英珠游击、托特托依率兵五百名前往耀州戍守。

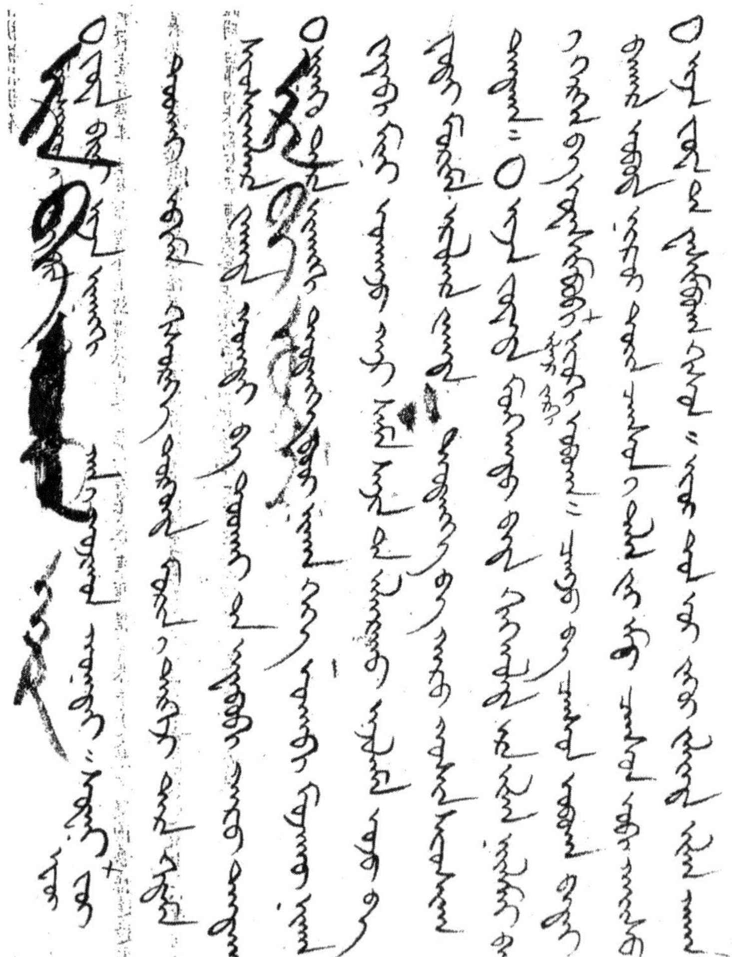

滿文原檔之一

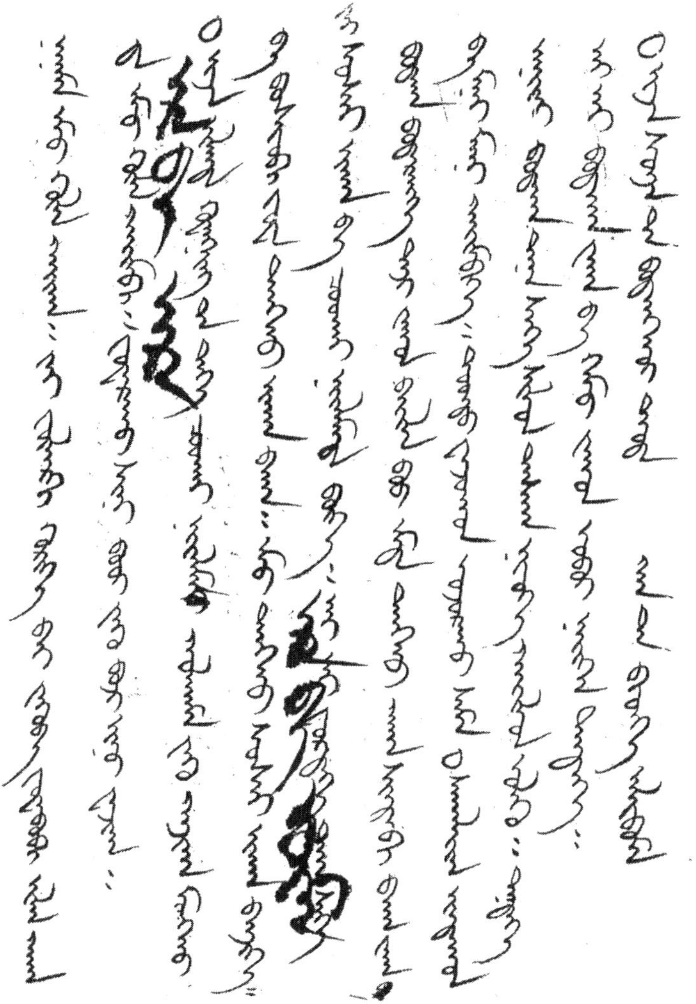

滿文原檔之二

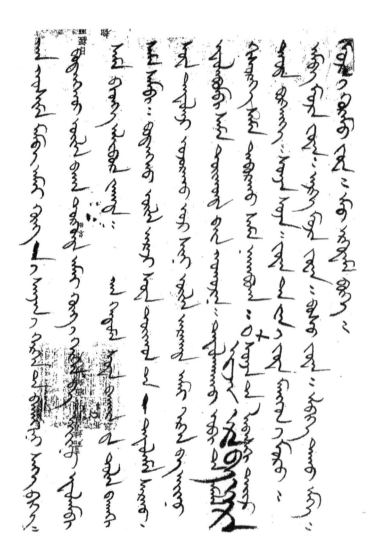

滿文原檔之三

滿文原檔之四

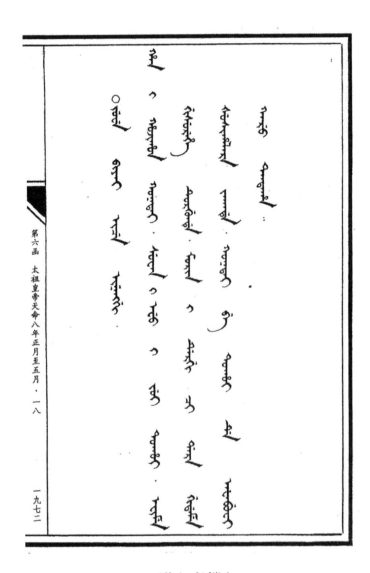

滿文老檔之一

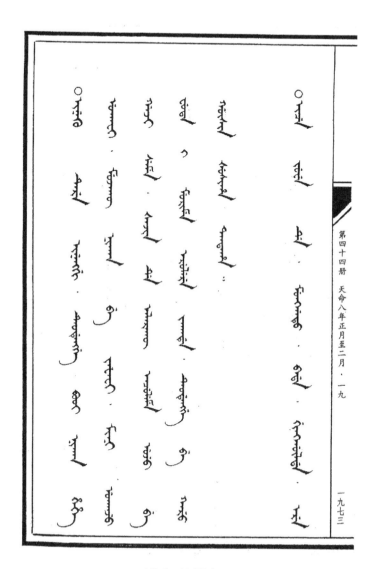

滿文老檔之二

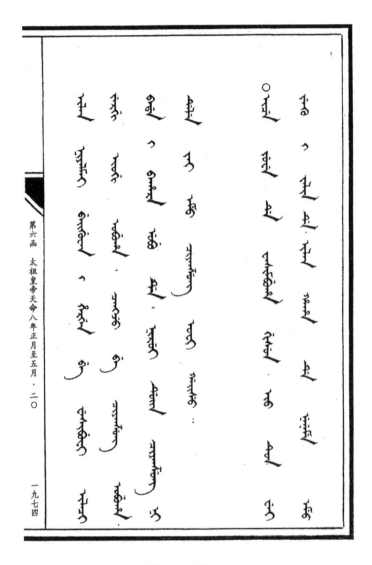

滿文老檔之三

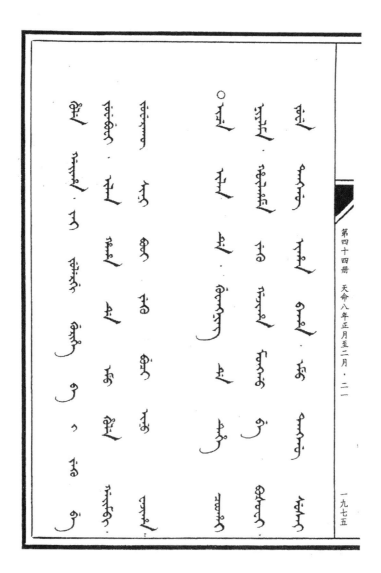

滿文老檔之四

致　謝

　　本書滿文羅馬拼音及漢文，由原任駐臺北韓國代表部連寬志先生精心協助注釋與校勘。謹此致謝。